Татьяна Веденская

СЮРПРИЗ
ДЛЯ ЛЮБИМОГО

ЭКСМО
Москва
2009

УДК 82-3
ББК 84(2Рос-Рус)6-4
В 26

Оформление серии *О. Тумаковой*

Веденская Т.

В 26   Сюрприз для любимого : роман / Татьяна Веденская. — М. : Эксмо, 2009. — 352 с. — (Для особенных женщин).

ISBN 978-5-699-35571-6

Юля Светлакова — домохозяйка со знанием английского языка и дипломом Суриковского института. Она красавица, умница, обожает мужа и детей и готова обслуживать их с утра до вечера. Только кто оценит ее старания? Муж? О да! Он уже оценил. Завел себе любовницу, а Юле сказал, чтоб привыкала к новой жизни, поскольку все равно от него никуда не денется. Что ж, он был прав, деваться Юле действительно некуда! Однако мир справедлив, и все в нем может поменяться в один момент.

УДК 82-3
ББК 84(2Рос-Рус)6-4

ISBN 978-5-699-35571-6

Татьяна Веденская блестяще расправляется с главными страхами женщин, ведущих домашнее хозяйство, — страхом быть вечной домработницей и страхом быть однажды отвергнутой супругом в пользу более молодой, авантюрной, преуспевающей и т.д. женщины. Автор предложила героине свой оригинальный вариант выхода из сложной ситуации. Неважно, что все немного похоже на сказку. Мы понимаем, что послание автора совсем в другом, а именно: каждая женщина даже в самой безвыходной, на первый взгляд, ситуации может найти свой собственный путь от отчаяния к успеху, от полного минуса к плюсу. Каждая женщина может быть счастлива, и все, что она делает, — это ее собственный выбор. Книга Татьяны — прекрасное лекарство от затяжной депрессии, потому что написана не просто со знанием дела, но и с тонким юмором, а это в наши дни большая редкость.

Кира Буренина,
главный редактор журнала «Лиза»

ГЛАВА 1,
в которой я сильно жалею, что умею читать

21 мая, понедельник
Помыть окна
Закупить продукты
Девчонки
Дашка — сочинение!!!
Сделать маникюр
Витамины дать
Пиджак
На ужин — спагетти

По большому счету, все началось именно с этого списка. Впрочем, и без него, скорее всего, все началось бы. Только, возможно, позже. Но именно в тот день и именно с того списка, ничем особенно не отличающегося от других списков на сотни других дней, все и началось. С этим ясно.

Однако утром того дня я ничего еще не знала и даже не подозревала, а, наоборот, предвкушала солнечную погоду и приятный денек. Для миллиардов других людей, для всех жителей планеты, у которых есть работа, понедельник —

день тяжелый. Я же человек не работающий. Хотя, естественно, мне было чем заняться, как и любой домохозяйке, имеющей мужа, двоих неаккуратных детей и большой дом, в котором за выходные успевали все перевернуть вверх дном. Но это же, как говорит мой муж, не работа: «Ты же все равно сидишь дома и ничего не делаешь». А настоящая РАБОТА выбита большими золотыми буквами в трудовых книжках трудового населения. У меня же трудовой книжки вообще не было, да.

В общем, был понедельник, и это означало, что я наконец-то снова предоставлена сама себе. Я подала всем полезный горячий завтрак, отвезла детей в гимназию и, конечно же, получила свой законный поцелуй в щечку: «Хорошего дня, дорогая». И вот все они наконец-то исчезли, оставив меня наслаждаться тишиной. Понедельник, я тебя люблю!

Итак, первый пункт. Вымыть окна. Я включаю музыку, первая попавшаяся радиостанция, на которой поет какой-то новенький мальчик, не помню его фамилии. Но мне нравится песня, и я оставляю ее. Я всегда мою окна в конце мая, потому что уже тепло и солнечно, и мне нравится лазать по подоконникам и следить, как вид из-за окна словно переселяется к нам в квартиру. Стекла исчезают, становятся невидимыми, а сочная майская зелень на деревьях проступает с особой ясностью.

— Красота! — подвела я итог.

В моей трешке имелось четыре окна, так что на все про все ушло не больше часа. Солнце грелось на лице. Я прикрыла глаза, мурлыкая от удовольствия, и подумала, что скоро уже можно будет начинать загорать. И от этой мысли, впервые посетившей меня после мучительно долгой пасмурной зимы (в последнее время они почему-то всегда такие), мне стало еще лучше. И к моменту, когда зазвонил телефон, я была мила, доброжелательна и дружелюбна.

— Алло? Я слушаю, — ответила я, все еще подставляя лицо солнцу.

— Светлакова? Ты? — раздался в трубке голос Машки, одной из моих подруг.

— А ты куда звонишь? — съехидничала я.

— Просто голос у тебя какой-то не такой, — фыркнула она.

— Какой — не такой?

— Ну...добрый какой-то. Ты там чем вообще занимаешься? Может, у тебя массажист завелся? И прямо сейчас мнет тебе бока.

— Ага. Массажист. Высокий стройный брюнет со смуглой кожей. И муж как раз тут накануне сошел с ума и все мне оплатил, — ухмыльнулась я.

Машка помолчала с минуту, видимо, обдумывая всю невозможность описанной ситуации.

— Значит, просто хорошо?

— Ага. Я окна помыла. — Мои губы сами собой расплылись в улыбке. Я люблю чистые окна.

— Ты псих. Кто же в понедельник моет окна? Это ж наш единственный, можно сказать, выходной! Ты помнишь, что мы сегодня перенесли все на два?

— Все я помню, — устало кивнула я, хотя на самом деле все забыла.

Обычно мы с девчонками встречаемся по понедельникам в три часа. Бросаем все наши хозяйственные дела, заваливаемся в какой-нибудь новый ресторанчик, чтобы попробовать какой-нибудь новой кухни, и посвящаем пару часов самозабвенному трепу. В жизни домохозяйки все прекрасно, кроме одного — все мы испытываем недостаток общения, явный болтательный авитаминоз. Мы компенсируем дефицит путем ежедневных телефонных инъекций, но этого явно недостаточно. Понедельники — наши болтательные дни. За это я люблю их. Так что понедельник — это самый лучший день в неделе. Но все-таки на сегодня у меня были еще кое-какие планы. Я надеялась сходить в магазин и успеть еще сделать маникюр до трех. Теперь придется перекраивать график. Или оставаться без маникюра.

— Вот и хорошо, что ты все помнишь. Любка нашла индийский вегетарианский ресторан, говорит, там совсем недорого. Только ехать надо аж на Белорусскую, так что давай сворачивай свой бесконечный трудовой подвиг.

— Я и так ничего не делаю, — буркнула я.

— Знаю я тебя, Светлакова. Пока все не перемоешь, не успокоишься. Давай-давай, руки в ноги. Пыль бесконечна, а жизнь коротка. Соевое рагу ждать не будет!

— А ты уверена, что это вкусно? — позволила я себе усомниться, но Машка уже повесила трубку.

Вот уже почти год, как мы завели эту традицию, подразумевая, что таким образом будем расширять и углублять свой собственный вкус. Вкусно не вкусно, а пробовать надо разное, чтобы потом лучшее делать у себя дома. Впрочем, девчонки особо не заморачивались готовкой, а просто наслаждались понедельничной жизнью. Но соевое рагу... Вечно Любка выдумает что-нибудь несусветное.

Я нацепила джемпер, в который раз порадовавшись, что больше нет необходимости в теплой куртке, и отправилась в магазин.

Перетаскивание тяжелых сумок — не самая приятная часть жизни домохозяйки, но в моем случае при всем богатстве выбора никакой другой альтернативы нет. На фиг, на фиг, к терапевту. Чтобы заставить моего мужа донести хоть одну сумочку из супермаркета, надо убить целый день и кучу нервов. Намного проще все делать самой. Хотя я не оставляю попыток, я очень старательная и целеустремленная. Каждый выходной, когда считается, что Леша дома и должен как-то участвовать в семейных делах, я пытаюсь заставить его сделать хоть что-нибудь — вынести мусор... Но чтобы Леша его вынес, я должна провести серию подготовительных манипуляций.

— Юля, поставь ведро у входа и переложи мусор в большой пакет. Я буду идти и захвачу с собой.

— А что, до этого я буду без ведра?

— Но нельзя же оставлять пакет на полу. А вдруг он протечет?

— Мы живем в доме с мусоропроводом. Может, ты просто пойдешь и выкинешь его? Просто достанешь пакет из ведра и выкинешь? А? Как тебе план?

— Вечно ты все усложняешь! — скажет Леша и с та-а-ким мученическим лицом потащит пакет (двумя пальцами), что, по его логике, меня при одном взгляде на него уже должна насмерть замучить совесть. Но поскольку моя совесть часто барахлит, Лешка, дабы неповадно было, обязательно рассыплет мусор по коридору да еще набросает его около мусоропровода. — Я все сделал! — героически произносит он. — Ты только там прибери теперь.

— Что? Опять? — Мне остается только развести руками. Лучше уж выносить мусор самой, чем отдраивать после мужа коридор.

Примерно та же история выходит и с покупкой продуктов. Да, семья у нас большая, и вкусно поесть любят все. Мужу и в голову не приходит спорить со мной в части того, что хрупким, слабым женщинам вредно таскать по десять пакетов в каждой слабой ручке. Он с этим согласен, как согласен и с тем, что должен хоть в чем-то мне помогать. Но если уж он возьмется за покупки (раз в год), то вместо продуктов из списка принесет такое! Например, вместо помидоров, которые так и значатся в списке как «помидоры — полкило», принесет банку маринованных зеленых помидоров.

— Что это? — в немом изумлении спрашиваю я.

— Как что? Помидоры.

— Но они же соленые. И зеленые.

— А тебе какие нужны?

— Свежие.

— Ты не написала, — резонно замечает он.

Я замолкаю, я даже не знаю, что сказать. Он приносил вместо молока соевое молоко. Вместо картошки приносил замороженный картофель фри, который вообще нельзя есть ни в каком виде, потому что, кажется, он делается в порядке конверсии и изначально, наверное, являлся биологическим оружием, выпущенным вместе с ножками Буша. Леша приносил вместо гречневой крупы пшено, а вместо манки крахмал. А на все мои вопли и сопли отвечал:

— Тогда не надо меня просить. Не нравится — ходи сама!

Вот так-то. Что я, в общем-то, и делаю. Снова налицо победа мужского интеллекта. С таким упорным неумением читать списки, написанные по-русски, я справиться не могла. В общем, и на этот раз пришлось жертвовать маникюром. Потому что не сходить в магазин я не могла. На ужин я собиралась приготовить спагетти, а для мясного соуса, как известно, необходимо мясо. И, естественно, вместо того чтобы делать маникюр, я побежала в магазин. Мои домашние на мои руки не смотрят, зато смотрят в тарелки, и, между прочим, очень внимательно.

К двум часам, когда я явилась в обозначенное место на Белорусской, я испытывала легкий укол совести относительно маникюра, но зато в остальном мой список двигался со здоровой динамикой. Витамины детям я дам после школы, потому что на завтрак я их дать забыла. Пиджак мужа я уже забросила в машину, сдам его в хим-

14 чистку по дороге из школы. А спагетти — плевое дело, когда есть все продукты. Да, я смело могла расслабляться. Мое бытие, «ты все равно сидишь дома и ничего не делаешь», текло привычным темпом.

— Светлакова, ты почему опаздываешь? — строго спросила Машка, поджидавшая меня у входа в пресловутое индийское вегетарианское место. Вывески заведение не имело, скорее всего, оно было, так сказать, «для своих». Что ж, тем интереснее.

— Я не опаздываю, — обиделась я. — Я задерживаюсь. Пробки.

— В метро? — скептически уточнила она.

— Да. В метро все прекрасно, но до него еще надо доехать, — возмущенно повела я плечами. — Ну, где тут подают соевое рагу?

— Наверное, девки уже все съели без нас, — попыталась напугать меня Машка, но я только пожала плечами.

В целом к соевой еде я была равнодушна. На эти встречи я приходила уж точно не для того, чтобы пожрать.

— Юлька, ну, наконец-то! — победно улыбнулась Любка, толкая в бок сидящую рядом с ней Карину. Вся наша теплая четверка была в сборе. Понедельник — уик-энд домохозяек.

— Кариночка, привет, как ты? Как муж, дети?

— Юлька, ты что, похудела? — Это от Любки.

Ей кажется, что такой вопрос — самый лучший комплимент.

— Да ни хрена она не похудела, — вмешалась Машка, плюхаясь рядом со мной.

— А ей и не надо. Ей и так хорошо, — поддержала меня Карина.

Моя внешность — это мой больной вопрос. Мне, как, впрочем, и огромному большинству домохозяек, до идеала не хватало совсем чуть-чуть. Чуть-чуть похудеть, чуть-чуть поухаживать за собой, чуть-чуть больше времени проводить на свежем воздухе и чуть-чуть меньше с ведром и шваброй в руках. И могла бы получиться почти королева.

— Это тебе не надо, — строго заметила Машка нашей худенькой, малозаметной Кариночке. — Тебе надо больше есть. А ей бы не помешало начать посещать фитнес какой-нибудь.

— Маш, ты бы тоже там была к месту, — аккуратно вставила я. Нельзя давать Машке волю, а то она враз всех захочет сделать счастливыми. И тогда вообще неизвестно, чем это все кончится.

— А я почему ем? Почему? Потому что муж меня не уважает! — заявила она, набив рот индийским десертом, похожим на манную кашу с большим количеством сгущенки.

Я поняла, что Индия — не моя страна, еще

16 на соевом рагу. На десерт я даже не посягала.
А вот Машке очень даже нравилось.

— Мужья никогда и никого не уважают! —
заявила вдруг Кариночка, даже покраснев при
этом.

— Ну... почему... Вот мой-то вроде бы... —
промямлила Любочка.

— Твой просто тебя боится. Потому что если
ты разведешься с ним, то начнешь кричать и бе-
ситься. В глубине души все они считают нас
просто лентяйками. Надо признать, что каждый
из них уверен в этом до глубины души, — хлопнула кулаком по столу Маша.

— Лично мой ценит только деньги, — как бы
вскользь заметила я. — Если ты получаешь кучу
денег, то ты — человек. Даже если ты эту кучу, к
примеру, просто украл. А без кучи ты никто.

— Нормальная мужская психология, — кивнула Любка. — Мой вообще всех делит на «пол-
ных придурков» и «надо же, у него последний
«Мерседес».

— Но у него-то самого старенький «фолькс»? —
резонно возразила Машка.

— Ага. Но он-то вне конкурса. И потом, во
всех его бедах, вы знаете...

— Виновата ты!

— Вот именно, — махнула рукой она.

— Если бы вы только знали, как мне иногда
хочется раздобыть где-нибудь эту самую кучу

денег и швырнуть их мужу в лицо, — вдруг неожиданно даже для самой себя заявила я. — Чтобы он перестал смотреть на меня свысока, как на дуру бессмысленную. А он вообще на меня не смотрит. Мне кажется, я для него вроде бытового прибора.

— Ну что ты такое говоришь? — перепугались все. — Ты же — золото. Да за такую жену многие Родину продадут.

— Ага. И окна помыла, и продукты-то ты наверняка купила. И вообще, умница, красавица, комсомолка... Да что бы они понимали! Ты же вообще мечта! — с готовностью пропела хвалебную Карина.

— Да, я не спорю, — ухмыльнулась я. — Я отличный бытовой прибор. Японский, наверное.

— Когда я на тебя смотрю, меня начинает мучить совесть, — заявила Каринка. — Я не делаю и половины того, что делаешь ты. А у меня только сын, и все.

— Зато у тебя есть маникюр, — я кивнула на ее руки. Красивые розовенькие коготки, как раз такие я себе и не успела нарисовать.

— Так, заканчиваем. Никогда мужики не ценят того, что имеют. Но других-то все равно нет, так что...

— И все-таки тут есть и объективные причины, — задумалась я. — А разве нет? Мы с Леш-

18 кой женаты уже двенадцать лет, и иногда мне кажется, что я слишком хорошо его знаю. Я могу наперед сказать, какие шутки он будет шутить на пьянках, на каком боку он храпит, а на каком только сопит. И куда он капнет кетчуп, который я потом буду отстирывать. Скука! А вдруг и он тоже все-все знает про меня? Или думает, что знает, потому что на самом-то деле я — инопланетянка.

— Ага, с Венеры, — усмехнулась Любка. — А мой вообще больше меня не замечает. Он меня любит? А люблю ли я его? Я стараюсь больше об этом не задумываться, потому что... какое это теперь имеет значение. Когда-то все было по-другому.

— Когда-то и трава была зеленее. Ладно, чего там, — попыталась остановить ее Карина.

А Машка отвернулась к окну и пробормотала:

— А у меня секса не было уже два месяца.

— Да ты что! — ахнули мы хором.

— А то. Говорит, что устает очень.

— Может, и правда?.. — сочувственно пробормотали мы.

— Девки, кому еще десерт? — Любка широко улыбнулась, чтобы замять как-то этот разговор.

— Не хочу я десерта, — расстроилась Машка. — Зачем вы завели этот разговор?

— Это все Юлька, — с готовностью подставили меня подруги.

Я округлила глаза.

— Да ладно тебе. Все будет хорошо. Муж тебя любит, просто уже возраст, все такое. У нас все тоже по-разному бывает. — Я принялась ее утешать. Хотя два месяца — это, конечно, серьезно. Очень серьезно.

— А может, нам и вправду записаться на фитнес? — робко предложила Карина. — А что, представляете, пройдет пара месяцев, а мы такие стройные, ухоженные, загорелые. Мужики на нас пялятся, а мы — королевы. Никого не замечаем.

— Ага, мечта, — вздохнула я. — Только что-то я сомневаюсь, что Лешка мне на это денег выделит. Скорее он скажет, чтобы я включила спортивный канал и делала зарядку вместе с ведущим. Видели, по утрам крутят такую дебиль-ненькую зарядку? Раз-два, раз-два!

— За пару месяцев королевой не станешь, — грубо подвела итог Машка. — Давайте этот ваш десерт.

— Но надо же как-то нервы приводить в порядок. Говорят, что занятия спортом снимают стресс.

— А знаете, как я снимаю стресс? — поделилась я. — Закрываю глаза и думаю, что я — вообще не я, а совсем другая женщина. И мне не тридцать пять, а двадцать. И я живу на море, в красивом доме, как с рекламы Турции. Сижу и слышу шум прибоя. И так не хочется возвращаться, так бы там и осталась.

— Дом на море — это нереально. Надо быть реалистами. А про два месяца... Тут одно из двух — или проблемы со здоровьем, или... — задумчиво проговорила Любка.

— Достаточно и первого, — оборвала ее Машка, лопая вторую порцию каши со сгущенкой.

Вариант номер два — что у него завелась ДРУГАЯ — это самый страшный сон. Вернее, самая страшная явь, которая только и может с нами, женами-домохозяйками, случиться. И об этом не то что говорить, даже думать было строго запрещено.

— Да-да, сходите к врачу, — радостно закивала Карина.

Возникла сытая напряженная пауза. Я почувствовала, что на сегодня с меня хватит. Что-то сегодняшняя встреча совсем не прибавила мне оптимизма. Ощущение солнышка, целующего меня в щечки, куда-то делось, пропало. Я засобиралась домой.

— Так, ладненько. Сколько там с меня? А то мне еще девчонок забирать из школы.

— А зачем ты возишь их так далеко? Отдала бы куда-нибудь рядом с домом и не мучилась, — заявила Любка.

Я пожала плечами. Гимназия, куда ходили мои дочери, была не так уж далеко от дома. На машине всего минут пятнадцать. По пробкам двадцать. Не очень далеко, но и пешком не дойдешь, однако это была лучшая гимназия в нашем округе. Да к тому же с языковым уклоном. Я сама в детстве получила прекрасное образование, так что теперь просто желала того же самого для своих детей.

— Ладно, будем на связи, — кивнула я, расцеловала всех и отправилась в обратный путь. Мне осталось сделать с Дашкой, моей старшенькой, сочинение. Приготовить спагетти и сдать в химчистку пиджак мужа.

Следовало признать, что, несмотря на все мои претензии, у нас с Лешкой был действительно по-настоящему крепкий брак. Он был технологом в одной крупной пищевой фирме, руководил производством разного рода пельменей и колбас. Хорошо зарабатывал, два раза в год вывозил нас с семьей на отдых в Турцию или Египет. Любил дочерей, хотя это выражалось скорее в праздных разговорах с друзьями, чем в чтении сказок или походах в парк. Но... никто не без недостатков, никто не идеален. Лешка занимался работой, работой и еще раз работой, предоставив мне тянуть на себе дом.

— Лиля, Дашка, посидите-ка в машине. Я зайду в химчистку, — приказала я дочкам, устало дремавшим на заднем сиденье моей старенькой «восьмерки» в окружении портфелей и кульков со сменкой. — Я скоро, только не открывайте двери, а то машина заорет.

— Хорошо, — вяло ответили дочери.

Между ними было всего два года разницы, они родились почти погодками, и это на первых порах создавало мне кучу сложностей. Это было почти как с близнецами, зато теперь их проблемы и даже учебные задания были очень похожи. Удобно.

Я добежала до магазина и свернула к павильону химчистки, надеясь, что там не будет народу. Народу там не было, но была одна медлительная старушенция, которая сдавала в чистку весь свой зимний гардероб. Я стояла и смотрела, как с одной стороны стойки на другую перекочевывают разные пальто и дубленки. И думала, что мне тоже надо бы, по-хорошему, собрать зимние вещи и принести их почистить, чтобы они не висели все лето грязными в шкафу. Я уже совсем собралась записать это в завтрашний список, как тут приемщица окликнула меня:

— Женщина, у вас только одна вещь?

— Да, пиджак.

— Вы карманы проверили? Давайте-ка его сюда, а то тут я еще долго буду оформлять.

— Сейчас! — обрадовалась я. — Тут всего два кармана. Ой! Телефон.

В моих руках оказался мужнин рабочий сотовый телефон. У него, как и у многих сейчас, существовало два сотовых аппарата. Один для собственного, домашнего, так сказать, пользования, а другой — вот этот, дешевый, корпоративный, был выдан фирмой, где он работал. Алексей, приходя с работы в пятницу, забывал о своих должностных обязанностях до понедельника, а чтобы его никто не беспокоил, ставил рабочий телефон на бесшумный режим.

— Опять забыл. И небось ищет весь день, — всплеснула я руками. Надо было ему позвонить, сказать, что телефон у меня, что я, собственно, и собралась делать, когда приемщица снова меня одернула:

— Так вы пиджак-то сдаете?

— Конечно, — кивнула я, подсовывая ей пиджак одной рукой и снимая блокировку с клавиш другой. — Вот.

— Подождите минуту, — буркнула она, склонившись над квитанцией.

А я совершенно случайно, даже не посмотрев на дисплей, вместо того чтобы нажать номер мужа, открыла сообщение, которое висело, оказывается, на экране. Совершенно, совершенно случайно. Как хорошая жена и умная женщина, я никогда не лезла дальше, чем надо, и вообще никогда никуда не лезла. Зачем мне нужны все эти неприятности? Я вообще не собиралась открывать сообщение. Я хотела только позвонить мужу, сказать, что его рабочий телефон у меня. Чтобы он не волновался. Но я случайно нажала не туда, и передо мной со всей неотвратимостью открылась коротенькая эсэмэска:

«Когда твои дармоеды отчаливают в Турцию? Скучаю ужасно, зато купила новое белье. Не хочешь взглянуть? Твоя Н.».

— С вас триста рублей, — откуда-то издалека окликнул меня чей-то незнакомый голос.

Я даже не сразу поняла, что эти слова адресованы мне. Я дернулась, попыталась сбросить непонятное оцепенение, охватившее меня, но руки слушались плохо. Я чувствовала пустоту и какой-то странный холод в области солнечного сплетения.

— С вас триста рублей! — нетерпеливо повторила приемщица. Ее мир не разваливался на куски, у нее шел обычный рабочий процесс. Это я стояла и не могла собраться обратно во что-то целое.

— Да-да, сейчас. Вот, — еле слышно пробормотала я, расплатилась и, с трудом переставляя ноги, поплелась к машине, зажав в руке уже совершенно ненужную мне розовую квитанцию.

В голове осталась только одна странная мысль, что лучше бы это не у Машки, а у меня с мужем ничего не было последние два месяца. Лучше бы у нее, а не у меня... Только у меня «это самое» было еще вчера ночью. Но теперь этот приятный факт, говорящий об исключительном физическом здоровье моего сорокатрехлетнего мужа, заставил меня вдруг поежиться от отвращения.

ГЛАВА 2,
которая учит, что воздух не чувствуешь, только пока его кто-нибудь не испортит

> **23 мая, среда**
> *Стирка*
> *Ванна + туалет*
> *Сделать маникюр*
> *Лильке новые кроссы*
> *Деньги за обеды*
> *Танцы*
> *Ни о чем не думать!!!*

Итак, оказывается, мой муж — все еще не прочитанная до конца книженция. Он вообще, кажется, книжка библиотечная. Во всяком случае, не я одна читаю этот фолиант (со слегка морщинистым лицом, хоть и симпатичным, и внушительным брюшком). Есть, оказывается, что-то, чего я не знаю о его личности. Что ж, сенсационный поворот нашей совместной биографии! Теперь жизнь перестанет быть скучной! Разве не так? Сколько всего нового я узнала, и ведь все это может изменить и разнообразить скучное течение моей жизни. Только вот вопрос: готова ли я к переменам?

Готова ли я? Да, это тот самый вопрос, который зазвенел в моей голове в тот самый момент, когда черт дернул меня прочитать СМС. Странно, что этот, ведь можно было бы задуматься и о другом. Например, о том, как Лешка мог так со мной поступить? Или о том, почему я ничего не замечала раньше? По поведению мужа или другим косвенным признакам. И давно ли это началось? И что он в ней нашел, чего нет у меня? Или, может быть, я все не так поняла и это было обычное деловое сообщение, которое ему прислал сослуживец? А что, такой вариант мне нравился даже больше. С ним было легче все забыть, выкинуть из головы, не вдумываться. Объяснить все стечением обстоятельств, каким-то недоразумением.

«Дорогой, ты забыл свой телефон в кармане пиджака. Я положила его на тумбочку. Кстати, ты не купил хлеба?»

«О, а я его весь день искал. Мне звонили?»

«Не знаю, он, кажется, отключился. Наверное, кончился заряд».

Какой бы был отличный диалог, и можно было бы дальше жить-поживать да добра наживать! Но к переменам, кажется, я была не готова. У меня было много дел. Надо было закончить детскую учебную четверть без троек. Надо было возить на танцы Лилю, у нее скоро конкурс, и необходимо было еще сшить к нему костюм. Не каждый ребенок в девять лет попадет на конкурс бального танца, так что следовало постараться и сотворить чудесный костюм. И потом, я действительно собиралась скоро с детьми в Турцию на три недели, а муж (какой добрый, просто добрячок!) заботливо выкупил нам путевки в прекрасный семейный отель, не пожалел денег и вовсю сокрушался, что никак не может поехать с нами. И все это только для того, чтобы остаться с этой «Н.»? Кто она вообще такая, эта «Н.», откуда взялась на мою голову? Как вообще такое могло произойти со мной? Этот вопрос не выходил у меня из головы весь вчерашний вечер. Если быть до конца честной, он один занял всю мою голову, не оставив там места ни на Дашкино сочинение, ни на спагетти «Болоньезе». Дашка даже не поверила своему счастью. Она несколько часов тихо сидела в своей комнате, старательно придумывая отговорки, чтобы не писать сочинение «Гагарин и влияние первого полета в космос на наш мир». А я даже не зашла к ней ни разу. Я сварила пельмени (какой кошмар, и это детям!), пробормотала что-то мужу про головную боль, старательно избегая его взгляда, и забилась в уголок гостиной, на диване. Муж заботливо (сволочь!) прикрыл мне дверь и выключил свет, потому что при мигренях я не выношу света и он прекрасно об этом знает. В итоге я так и уснула на диване, а Дашка пришлепала ко мне уже в половине одиннадцатого.

— Мам, — тихонько прошептала она. — Ты как?

— Я в порядке, — еле слышным голосом ответила я. Слезы предательски капали из глаз, но темнота — друг не только молодежи, но и рыдающих женщин.

— А что с сочинением-то мне делать?

— Мне все равно. Делай что хочешь, — устало вздохнула я. — Только меня сегодня не трогай.

— Ладно, — изумленно согласилась она и тихо-тихо закрыла дверь, чтобы не побеспокоить меня ни одним лишним звуком.

В общем и целом семья убедилась, что у меня начался страшный приступ головных болей, на чем и успокоилась. А я лежала, старалась ритмично дышать и постепенно проваливалась в тяжелый беспокойный бред. Кажется, выдуманная причина вскоре стала приобретать реальные черты, моя голова зазвенела от настоящей боли. Или мне это приснилось? Я не очень понимала, что чувствую, я в общем-то совсем ни о чем не думала. Я вспоминала, что когда-то давно у нас с мужем была большая любовь. Он не был красавцем в классическом смысле этого слова (кто вообще понимает, что это значит?), но у него было симпатичное, очень подвижное лицо. В молодости он отличался какой-то суетливостью, но это только из-за того, что он старался успеть сделать десять дел сразу. И надо сказать, у него это получалось. И он очень много шутил. Очень много. Он всегда был выдумщиком. Я помню, как на нашей первой квартире, на пятом этаже в маленькой однушке-хрущевке, сосед снизу невыносимо курил в окно. Прямо-таки высовывался весь по пояс в окно, гад, чтобы не дымить в квартире. И весь дым, естественно, шел к нам, а я как раз тогда была беременна Дашкой, так что совсем не переносила табачного дыма.

— Может, с ним поругаться? Может, заявление написать? Ну, он же наносит этот... ущерб, — возмущалась я, в очередной раз выветривая злосчастный дым, а Лешка только сосредоточенно грыз ногти. Все попытки поговорить с соседом по-хорошему кончались бранью и криками: «Я у себя дома буду делать, что пожелаю». А однажды Лешка приволок домой...

что бы вы думали? Кормушку для птиц. Да-да, такую большую, громоздкую штуку с жердочками и желобками для зерна.

— Тише едешь, дальше будешь, — заявил он и на следующий же день повесил ее, подмигивая мне и хитро улыбаясь. Что же дальше? Дальше птички быстро смекнули, что у нас открылся халявный стол, и прилетали к нам столоваться всей толпой. Голуби, воробьи, вороны... Надо сказать, в Москве тогда было гораздо больше птиц. И постепенно, день за днем соседский подоконник согласно всем законам физики был заляпан птичьим пометом по самое «не балуйся». Что тут началось!

— Уберите немедленно вашу дрянь! Весь карниз заляпали! — возмущался сосед, старательно вытирая грязь.

— Мы у себя дома птичек кормим, и вообще, природу надо любить, — флегматично замечал мой муж, чем доводил соседа до бешенства.

А через пару недель сосед выбросил белый флаг. В обмен на обещание не курить в нашу сторону он потребовал перевесить птичью столовую на дерево во дворе.

— Не вопрос, — невозмутимо кивнул мой Лешка, и они ударили по рукам.

Как мы тогда смеялись! Как много я вообще с ним смеялась. Если честно, то и сейчас, несмотря на его живот и частичное отсутствие волос на затылке, я все еще люблю его. Люблю?! Но теперь-то это не имеет никакого значения. Теперь-то у него есть какая-то «Н.», а меня можно оставить плакать в гостиной.

Я закрыла глаза и отвернулась к стене. Надо как-то отвлечься, расслабиться. Никто не говорит, что я прямо сейчас обязана принимать какое-то решение. Если оно вообще есть, это решение.

«Надо представить ЕГО», — подумала я, прорисовывая перед глазами детали.

Белые каменные стены, большие окна, которые распахиваются прямо на утренний бриз. Ситцевые цветастые занавески в деревенском стиле слегка покачиваются от ровного теплого морского бриза. Я слышу шум волн. Я вижу бесконечную голубую синеву, переливающуюся солнечными искрами. Кругом бескрайнее тепло и свет, каждая клеточка моего тела чувствует это тепло и свет.

«Когда уезжают твои дармоеды?» — вдруг отчетливо раздалось в моей голове. Да, в этот раз мне не мог помочь даже спасительный домик у моря. Почему это мы — дармоеды? Он что, действительно так думает? Для человека, задарма получающего свой хлеб, я слишком много работаю, слишком сильно устаю. Дармоеды. Надо же было такое написать!

Я открыла глаза в 6.30, как всегда вот уже

много лет подряд. Теперь уже мне для этого не был нужен даже будильник, хотя я по привычке все равно каждый день заводила и заводила его, но всегда открывала глаза на пять минут раньше звонка. Машка говорит, что это и есть то самое внутреннее программирование. Она верит, что мы вообще все программируем в своей жизни. Тогда я хотела бы запрограммировать удаление некоторых файлов.

— Дашка, подъем! Лиль, не делай вид, что ты меня не слышишь, вставать пора. Зубы чистим при мне.

Я совершала привычные утренние дела, улыбалась, варила кофе, делала сандвич для мужа и кашу девочкам. Я даже выслушала все мужние новости о политике. В мире все еще решали, кто же крайний в пресловутом финансовом кризисе. Сходились на том, что во всем виновата Америка. Это было правильно, потому что ей (Америке) было на это наплевать, она была далеко и занята какими-то своими делами. У нее вообще уже был вечер и рабочий день кончился. А нам так было проще мириться с ростом цен и безработицей.

— Ты где будешь ужинать, дома? — по привычке спросила я, когда Лешка закончил излагать политический прогноз на неделю.

— Даже не знаю. Я позвоню, — ответил он,

кажется, даже не задумавшись, о чем я спросила.

Я вдруг подумала, что сейчас могу с точностью до минуты сказать, как и что будет делаться дальше. Он поинтересуется, как дела у девочек в школе, но, если я вдруг и действительно стану ему об этом рассказывать, он моментально отвлечется, начнет копаться в портфеле или потеряет ключи от своего «Мицубиси», а я начну злиться.

— Я уже опаздываю, поговорим вечером, ладно? — Он нетерпеливо крутил брелок. — Девочки, быстро в машину! Мне нельзя задерживаться.

— Ладно, — вздохнула я. Аргументы о работе работают всегда (каламбурчик). Он — кормилец, он — добытчик. Его нельзя нервировать. Правда, сегодня мне очень-очень хотелось его понервировать. Хоть немного.

— Пока-пока.

Муж небрежно целует меня в щеку, думая о чем-то своем, а я вспоминаю, что когда-то между нами всегда была острая связь. Нас тянуло друг к другу, словно внутри каждого был магнит, сопротивляться которому было невозможно и изнурительно. Иногда, когда Дашка и Лиля были в садике, он брал меня с собой, катал по городу на машине, и мы разговаривали. Или просто сидели рядом и молчали, иногда касаясь друг друга руками или коленями. Тогда у нас была только «восьмерка», и нам хотелось просто провести день рядом, вместе. Сейчас... сейчас, возможно, он только и ждет, когда доберется до работы и притянет к себе другую женщину, в которой, наверное, какой-то другой магнит.

— Что ты решила? — спросил меня он, стоя в дверях.

Я вздрогнула, подняла на него глаза. Я не поняла вопроса. О чем это он, он же ничего не знает? Я же не говорила. То есть это я ничего не знаю, не должна ничего знать.

— Что? — Голос дрожал, не слушался.

— О моем приеме. Ты сможешь тут все организовать? — нахмурился он.

Ах да, он же хотел устроить прием в честь какого-то контракта, который заключил на пару со своим шефом. Что-то там связанное с запуском каких-то новых пельменных линий. Мой муж, который никогда в жизни не станет есть пельмени, делает их для народа, причем в немыслимых количествах.

— Не проблема. Когда?

— В воскресенье.

— Ладно, — я пожала плечами.

Я ведь действительно все решила. Я буду молчать. Да, это невыносимо, да, противно. Когда я смотрю на него, такого уверенного в себе, все еще достаточно молодого и полного сил (даже более чем), я понимаю, что надо все делать по-другому. Надо взорвать какой-нибудь мост, просто так, криком. Надо визжать на ультразвуковых частотах, чтобы разлетелась в осколки вся наша посуда. Надо вышвырнуть его из дома и потребовать развода. Надавать ему пощечин. Найти и разорвать на куски эту его «Н.». Но...ничего этого я делать не буду. Вообще ничего. Буду готовиться к приему. И знаете, почему? Потому что сегодня утром я проснулась и поняла, что сама по себе моя семья мне нужнее, чем любовь мужчины, который спит со мной рядом уже более двенадцати лет. Вот это я как раз готова потерять, но... есть еще мои девочки, есть привычный жизненный уклад и еще много чего. Ради всего этого стоит остановиться и не спешить с резкими телодвижениями. А как же наш дом, празднование Нового года, семейные праздники, на которые приезжают друзья, мои родители? Им, кстати, Лешка никогда не нравился.

«Он тебе не пара, — ворчал мой папа, к слову сказать, интеллигентнейший и добрейшей души человек, всю жизнь преподавал филологию. — Он простой и ничего про тебя не понимает».

«Он простой, да. Но что в этом плохого? Он смешной».

«Да уж, ухохочешься», — кривилась мама.

У них с папой всегда было одинаковое мнение — папино. Всю жизнь.

«Я его люблю».

«Это-то и проблема. Я это вижу и сам», — вздыхал папа.

А потом я забеременела, папа с мамой попеняли на жизнь, да и забабахали нам свадьбу, а в качестве свадебного подарка преподнесли нам ключики от хрущевки, оставшейся от моей бабушки, папиной мамы. Как же там было хорошо! Мы прожили там почти пять лет, пока не переехали в квартиру побольше. Но и потом, после хрущевки, когда Лешка уже начал подниматься на ноги (странная фраза, более подходящая к младенцам, а не к взрослым серьезным мужчинам), все было очень хорошо. Он любил девочек, я любила девочек, мы любили друг друга. Я занималась домом, он занимался тем, чтобы этот дом был — полная чаша. Я организовывала вечеринки, он на них шутил и развлекал народ. Когда он на меня смотрел, я чувствовала себя красавицей. Когда-то ведь он постоянно на меня смотрел. Мы всегда были не разлей вода, вот только я забыла, в какой момент в нашей постели появилась эта «Н.». У меня муж гуляет, а я почему-то думаю только о том, что скажет мой папа.

«Я же говорил!» — скажет он, а дальше я услышу его короткий огорченный вздох. И ладонь на кармане рубашки, той, в области сердца. Нет уж, к этому я вообще не готова. Папино сердце надо беречь, а то, не дай бог, опять... Да о чем я, он, скорее всего, вообще промолчит, чтобы не ранить мои чувства, однако... так будет еще хуже. Нет. Я ничего не буду делать. Ничего не стану менять. У меня есть семья, я хозяйка дома, в котором я очень нужна и в котором мне очень хорошо. И подумаешь, мой муж спит с другой. И что, мне из-за этого рушить свою жизнь? Остаться одной, без средств к существованию, без мужа, но с двумя детьми? А разве это будет справедливо, если виноват он, а развалится МОЯ жизнь? Нет уж, я надену на себя улыбку, как стальное забрало, через которое не пройдет ни одна стрела. Что там по списку? Стирка? Ванна и туалет? Где мои перчатки?

Я терла и скребла свой дом, гладила и раскладывала по шкафам вещи, пытаясь прикинуть, смогу или не смогу жить с окаменевшей душой. И если не смогу, то через сколько закричу и забьюсь в истерике. Причем обо всем этом я думала как-то отвлеченно, как о ком-то со стороны. Как о Машке или Любке. И о том, что бы я посоветовала им в таком случае. Из нас четверых об измене мужа знала только Карина. Это произошло несколько лет назад, и он совсем слетел с катушек. Мог неделями дома не ночевать. Позвонить и реально предложить Каринке «самой что-нибудь придумать».

— Вот подонок! — зверела Машка. Ее стремление срочно действовать, мощное и полноводное, как Волга по весне, разбивалось о ледяное спокойствие Карины.

— Я все придумаю. Я все перенесу. Не лезьте, — твердила она, отворачивалась от нас или просто отводила глаза.

Мы даже какое-то время не общались. Во-первых, чтобы действительно не мешать, а во-вторых, я остро чувствовала, что не нужна ей и никто из нас не нужен. А потом, где-то через полгода, раздался звонок, и Карина как ни в чем не бывало, тем же самым своим обычным мягким голосом пригласила нас с Лешей на день рождения своего мужа Бориса. Мы пришли. И Машка пришла. И Любка. И все улыбались и делали вид, что ничего не было. Все все знали. И мы, и муж, и Карина. Но на столе стояло Каринкино коронное сациви, наши дети весело носились по квартире, а Каринкин Боря весело щебетал о русском особенном пути с моим Лешкой.

— Сечешь? — подмигнула мне Машка.

— Чего? О чем ты?

— Как будто ничего не произошло. Борька как новенький. Может, она его в химчистку сдавала?

— Возможно, — улыбнулась я, — главное, что Карина счастлива. Вроде как.

— Вот именно что «вроде». Эх, дуры мы, дуры, — горестно вздохнула Машка и пошла улыбаться мужикам. Раз уж у нас у всех все так хорошо.

И вот теперь, отмывая семейный унитаз, я стояла и думала: а я-то сама как долго смогу быть «вроде как счастлива»? Смогу ли я, как Каринка? Надо смочь, если я тоже хочу, чтобы все было хорошо. Она вовремя смогла сдержаться, потому что она умная женщина. И отчасти потому что у нее вообще нет никакого образования и профессии. Чистая домохозяйка.

А я что — другая? Да, когда-то папочка потратил кучу сил и средств, чтобы я получила прекрасное образование. И я была — была его солнышком, рисовала акварелью, училась в Суриковском. Он считал, что у меня есть талант и какие-то там надежды. Прошло столько лет, что я почти ничего уже не помню. Хотя, наверное, смогу нарисовать акварелью простенький пейзаж. Но двенадцать лет! Я домохозяйка вот уже двенадцать лет. И вообще, кому нужны в нашем капиталистическом обществе акварельки? Иллюстрировать сказку про Колобка разве что. Я от дедушки ушел, я от бабушки ушел, я от жены ушел... Каринка давно успокоилась, значит, успокоюсь и я. Хорошо бы поговорить с ней, она-то знает, она-то сможет сказать мне, как, когда и каким образом будет у меня ехать крыша. А в том, что она будет ехать, сомневаться не приходилось.

Когда Лешка вечером вернулся домой (около девяти вечера), я неожиданно для самой себя устроила ему скандал. Вообще-то я скандалов не устраиваю. Почти никогда. Спокойствие кормильца — наша главная задача на все времена. Но тут просто что-то случилось со мной. А всего-то и делов-то, что он прошел в грязной обуви в ванну и начал полоскать в раковине какую-то грязную тряпку.

— Что ты делаешь? — тихо, сжав зубы, спросила я.

— Что? А, номера надо протереть, — через плечо бросил он.

— А нельзя было ботинки снять? — еще тише спросила-потребовала я.

— Нельзя, — нахмурился он.

— И почему?

— Мне надо обратно вернуться, завтра времени не будет. И не злись, пожалуйста.

— Не злись? — совсем тихо уточнила я. — То есть то, что я тут час на коленях все отмывала, что я эту самую раковину, которая опять черная как сажа, отмыла добела, — это не важно? Это не считается? Тебе лень ботинки снять, а я должна снова тут все драить?

— Что с тобой такое сегодня? — расстроился он. Вечер не обещал быть томным.

— Я даже не успеваю маникюр себе сделать, только и драю тут все, а ты...

— Так не драй! — рявкнул он. — Кто тебя просит все тут полировать, мы бы пережили, если бы ты хоть разок оставила все тут в своем виде!

— Что? — онемела я.

— Делай себе свой маникюр, только не трепи мне нервы. Я работаю, между прочим, пока вы тут развлекаетесь. Мне надо отдыхать. Черт, все настроение испортила!

— Я? Я развлекаюсь? — окончательно онемела я. Не выдержала, бросила на пол губку, которую держала в руке, села на пуфик в коридоре и заплакала.

— Что с тобой? Ну-ну, не надо! — испугался он.

— Надо! Ты вообще ничего не понимаешь, тебе плевать! Я тут весь день корячусь, а тебе что — кажется, что я развлекаюсь?!

— Ну... нет, конечно. Это, в общем, тоже дела сложные... наверное, — робко пожимал он плечами. По всему его виду было понятно, что дела мои он считает чем-то вроде раскладывания фотографий в фотоальбомы. Дело муторное, требующее и времени, и вкуса, и каких-никаких усилий, но... в целом непыльное и, что самое главное, никому на фиг не нужное.

— То есть только ты тут работаешь, а я загораю? То-то у меня кожа как у вампира — снег белый и тот загорелее!

— Ну, успокойся ты. Через пару недель все наверстаешь.

— В каком смысле? — От острой обиды на жизнь я все поперезабывала.

— В Турции, — услужливо пояснил муж. — Там и отдохнешь от меня наконец. Тебе действительно надо отдохнуть, ты почему-то какая-то нервная.

— В Турции? — переспросила я, чуть не задохнувшись.

Все мысли этих двух дней хлынули и поглотили меня. Мне так много надо было сказать мужу, но ничего этого я сказать ему просто не могла. Я так решила. Решила, что буду молчать, и едва не давилась этим молчанием. От такого напряжения я зарыдала, просто завыла белугой. Уронила, как говорится, лицо в ладони. Лешка, конечно, не зверь, при виде женских слез он немедленно отступает. Он обнял меня за плечи, сказал все положенные в таких случаях успокоительно-бессмысленные слова, отвел меня в спальню, велел девочкам меня не беспокоить (ха-ха, как будто меня беспокоят они!). В общем, он проделал все то, что раньше моментально вернуло бы мне ощущение справедливости и внутрисемейного счастья. Когда угодно, но не сегодня. Сегодня мне не стало легче. А стало еще хуже, потому что после стресса (а скандал для меня — всегда стресс) я долго не могу заснуть.

Я лежала в кровати, совершенно голая, потому мой муж всегда любил, чтобы я так спала. За эти годы я привыкла так спать, зная, что в любую минуту могу прижаться всем телом к любимому теплому и родному человеку — моему мужчине, но теперь жалела об этом. Мне захотелось надеть самую толстую и страшную пижаму на свете. Я смотрела в потолок, слушала Лешкин храп и вдруг отчетливо понимала, насколько я теперь несчастна. И что я совершенно ничего не могу с этим сделать. Это то, с чем мне теперь придется жить.

ГЛАВА 3,
в которой я уклоняюсь
от своего долга

> *27 мая, воскресенье*
> *Вечеринка*
> *Маникюр обяз..!!!*
> *Завтра девчонки*
> *Полить цветы*
> *Погладить платье*
> *Достать яду*

Основное правило хорошей вечеринки, по крайней мере мое, Юлии Светлаковой, — никогда не ленись в мелочах. Конечно, можно ограничиться жареной курицей и салатом «оливье», особенно если на столе стоит много спиртного. Когда кончается выпивка, закуска становится просто едой. Так, кажется, говорят. Что ж, я старалась, чтобы еда была не только закуской, а застолье не сводилось к одной еде. Я всегда любила сервировать стол. Кружевные салфетки, вилки к вилкам, ложки к ложкам, фигурно порезанные помидорки и половинки клубники на салатах. Что, разве плохо, когда вокруг все красиво? Горят свечи, звучит приятная музыка, на коленях лежат плотные накрахмаленные салфетки...

— Я не уверен, что не ошибусь, где какая вилка, — бурчал Лешка поначалу, глядя на все мои приготовления.

Но у нас дома, в смысле, в доме у моего отца приемы были в порядке вещей. Вся преподавательская интеллигенция частенько стекалась в наш дом, чтобы побалагурить и посплетничать, а моя мама неутомимо украшала наши вечера разного рода ничего не значащими, совершенно необязательными безделушками и «фишками». Это называлось атмосферой.

— Если ты ошибешься с вилкой, все это переживут, — успокаивала я мужа.

Но это было излишним. Он быстро освоился и с большим удовольствием использовал эту нашу семейную традицию, если требовалось произвести на кого-то впечатление. Естественно, ведь в тиши и уюте нашего дома, сидя за красиво сервированным столом, он смотрелся очень благополучным, домашне-семейным, надежным, как антикварный комод. Сама основа нашего общества — семьянин с большой буквы, с приятной женой, которая к тому же совершенно недурно готовит. Так это выглядело со стороны. Так и я сама о нем думала, когда стелила крахмальные скатерти и планировала меню. В этот раз составленное мною меню было особенно сложным. Я так решила еще в пятницу, когда достала с полки свою самую толстую и сложную кулинарную книгу — «Изыски французского стола». Мне захотелось выступить как-то по-особенному.

«Зачем ты это делаешь? Чего тебе надо? Он же спит с другой, скажи ему, что вообще не будешь ничего делать! Прогони его прочь!» — кричало мое оскорбленное подсознание, но я продолжала листать книгу, прикидывая, успею ли достать к воскресенью баранину нужного качества. Конечно, я успела. Чего я хотела? Чего я хотела на самом деле? Ну... может, просто отвлечься, занять себя чем-нибудь. Начать готовиться к приему еще с пятницы — разве не выход?

— О, что это ты задумала? Будет седло барашка? — Муж заглянул в книгу через мое плечо.

Я вздрогнула и захлопнула ее.

— Ты меня напугал. Не подкрадывайся ко мне сзади.

— Это еще почему? — игриво уточнил он, хлопнув меня по ягодицам.

Я прикусила губу. Молчи, молчи, молчи.

— Ты сможешь купить баранину на рынке? Мне надо успеть еще сто тысяч дел, — говорила я.

— Смогу. Но, может, ты не будешь так уж сильно заморачиваться? Тебе не тяжело? Ты в последнее время все больше устаешь, не хочется тебя загружать.

— Так что, ничего не надо? — строго спросила я.

Лешка подошел ко мне и обнял. Я вся внутренне сжалась.

— Нужно, конечно. Ты всегда делаешь все как надо, верно? Это мой шеф, конечно же, это важно. Просто не переусердствуй.

— Договорились. — Я отвела глаза, но Лешка взял меня за подбородок и поднес свои губы к моим.

Я еле сдержалась, чтобы не вцепиться ему в его бесстыжее лицо. Господи, возможно, вот эти самые губы несколько часов назад целовали другую женщину, какую-то «Н.», которая считает меня дармоедкой. Что бы ей самой не организовать ужин для Лешкиного босса?

— Где девочки? — с намеком прошептал муж.

— У меня нет настроения. У меня опять болит голова, представляешь. — Я выскользнула из его рук и отвернулась.

Леша молча внимательно рассматривал меня, не сделав больше ни одного шага. Я чувствовала, как его взгляд прожигает мне спину, но тоже не стала поворачиваться. Кажется, именно в этот момент я поняла, что больше не хочу его, не хочу с ним спать и вообще не хочу к нему прикасаться. Интересно, а у Карины было так же? И как долго это продолжалось? А потом, потом прошло?

— Ладно, — сказал наконец он. — Я куплю баранину.

— Отлично, — кивнула я, и больше мы к теме поцелуев и нашей личной жизни не возвращались, чему я была и рада, и нет одновременно.

Это странно, но именно это я и чувствовала. Дома ничего не поменялось, все было, как всегда, но мне все казалось почему-то незнакомым и даже опасным. Даже когда я просто шла в кухню или в туалет, было похоже, что я иду по минному полю. Поэтому я постаралась больше не совершать резких движений и полностью сосредоточилась на приеме. Да, если уж надо проявить себя, я решила сделать это на все сто.

Пусть этот подонок увидит, какая у него прекрасная жена. Пусть поймет, что другой такой нет и быть не может. Я в мыле готовила эту чертову вечеринку и даже себе самой напоминала маньяка, который сворачивает лебедей из бумажных салфеток, хотя так и не сделала маникюр. Я была как то самое ружье, которое висит на стене с самого первого акта. Так что, как вы сами понимаете, я не могла не выстрелить. Впрочем, поначалу все было просто прекрасно. Девочек забрали мои родители, босс и его жена по достоинству оценили мои старания, муж был доволен как никогда.

— Боже мой, как же тут у вас все красиво и празднично! Юлечка, честное слово, у меня нет слов. — Босс с нескрываемым изумлением обозревал парадную, наряженную, как новогодняя елка, гостиную.

— Вот и не надо ничего говорить, присаживайтесь. Располагайтесь, будьте как дома, — щебетала я, прилепив на «Момент» мою самую широкую радушную улыбку. Приклеенная улыбка болталась на лице почти весь вечер. Я кивала жене босса и поддакивала мужу, когда он в очередной раз говорил, как приятно ему работать под началом такого умного, дальновидного директора, который видит на сто шагов вперед и всегда во всем бывает прав.

— Это не совсем так, — слабо возражал тот, впрочем, довольно ухмыляясь.

Лесть — как жирный гамбургер. Все понимают, что это очень вредно и ничего не даст, но порой хочется, ой как хочется! Верно? А я уносила грязные тарелки, приносила чистые, благодарила за комплименты, доставала из холодильника десерт. Все было просто прекрасно. Я даже вполне естественно улыбнулась, когда Лешка в очередной, сто тридцать первый раз за последний год, поднял тост:

— Ну, что ж, выпьем за то, чтобы каждому из нас иметь то, что имеют те, кто имеет нас.

— Ха-ха-ха! — расхохотался босс.

Его жена тоже растянула губы в подобие улыбки, хотя я никогда не понимала, почему мужики так любят всякие грязные тосты и анекдоты. Так или иначе, они любят.

— Юлечка, десерт просто великолепен. Вот зря все-таки Ника не смогла приехать, вот уж кто сладкоежка, да, Леш? — неожиданно обронил босс, уплетая мою малинку в сливочном соусе с маскарпоне.

Что? Кто такая Ника?!

— Ника? — улыбнулась я еще шире, стараясь запомнить расположение губ на лице, чтобы, если что, не переместить их и не поменять общее выражение лица. — Кто это?

— А, это наша с Алексеем коллега, они с вашим мужем как раз и запускали новую линию, очень способная девушка. Жаль, что она не смогла приехать. Да, жаль. А почему она не приехала, Леш?

Босс спросил просто так, без задней мысли. Его, судя по виду, малина со сливками интересовала куда больше. Но Леша весь напрягся и внутренне собрался. Все же как плохо, что я так хорошо его знаю. Видно даже, что у него поднимается давление, начинает биться жилка на виске. Бедный, что это с ним?

— У нее курсы английского как раз по воскресеньям. Куда-то далеко ездит, — с трудом выдавил мой дорогой, чуть ли не покрывшись красными пятнами.

— Курсы? Могла бы вообще-то и прогулять ради такого случая. Все-таки не каждый день новые линии запускаем, да еще такие крупные. А хотя... и ладно. Пусть учится. Хороший английский — это большая редкость. Вот я, к примеру, так и не смог его выучить. А ты, Леш?

— Я тоже с трудом, — задумчиво пояснил муж.

Думал он о чем-то другом, и я подозреваю даже о чем. Или о ком.

— А ему и ни к чему, за него всегда я говорю, — усмехнулась я, не сводя глаз с мужа.

— Да? А вы знаете язык?

— В юности я три года жила с папой в Англии, он там преподавал в университете по контракту. Так что с тех пор довольно-таки свободно говорю по-английски. Вот Алексей и расслабился.

— Еще бы, с такой-то женой. Я его прекрасно понимаю, — улыбнулся босс.

— Да уж, — вымученно скривился в улыбке муж.

Я все еще держала улыбку, представляя, что еще раз сажаю ее на клей. Чтобы ни на миллиметр!

— Да, а наша Ника только начала учиться. Но она упертая, так что выучит обязательно. Впервые вижу столько амбиций у двадцатипятилетней девчонки.

— Сейчас такие девчонки пошли! — игриво засмеялась я, выпив одним махом полный бокал вина.

Алексей и жена босса переглянулись, а мне было плевать. Мне становилось все веселее.

— Это верно. И, кстати, Леш, теперь понятно, почему она так любит сладкое. Ей для мозгов нужно. Сахар при учебе тратится в десять раз больше. А ты — ты тоже чего-то учишь? Тебе сладкое, между прочим, вредно. Представляете, Юлечка, они с Лешкой однажды на двоих слопали целый торт. Вот такой! — Тут босс отставил в сторону пустую десертницу и показал руками размер торта, причем выглядело довольно неприлично. — Да, прямо никому не оставили.

— А как же так получилось? — неожиданно заинтересовалась жена босса.

— Действительно, как так? — присоединилась я.

— А, так. Моей секретарше этот торт поставщики мяса привезли. Ну... как бы для налаживания отношений. Она в холодильнике-то его и оставила. А утром уже все, торт кончился. Какой он хоть был? — Босс с усмешкой глянул на Алексея.

Тот откашлялся и пробасил:

— Безе. Он вообще маленький был.

— Маленький? Не верю, — развеселилась я.

— Мы проверяли техническую документацию. Там такие тучи бумаг были, я просто в них зарылся, вы же помните...

— Да брось ты, чего ты, ерунда. — Босс тоже начал хихикать.

А мне становилось все смешней и смешней, особенно из-за того, что Алексей реально метал громы и молнии своими взглядами и глупо оправдывался. Да, если бы это была другая девушка, мой Лешка хохотал бы сейчас вместе с нами. Он бы в деталях изобразил, как и почему они слопали этот торт. Он бы предложил оштрафовать его в десятикратном размере, а потом привез бы на работу реально огромный торт, и вся контора бы об этом еще год рассказывала. Это все сделал бы мой Лешка. Мой. Но теперь это был другой человек.

— Дорогой, как ты мог?! Надо было подумать о руководстве, — укоризненно покачала я головой, еле сдерживая смех. — И что, так-таки никто больше ни крошки не съел? И как, вам было ло потом не совестно?

— Я подумывал объявить им обоим выговор, но они так прекрасно работают, что я посчитал, что мне будет выгоднее запастись тортами, — ухмыльнулся босс, весьма довольный своей шуткой.

Муж сидел белее белого, а я вдруг представила себе эту самую Нику, голую, наглую, наверное, красивую, но в любом случае моложе меня на десять лет, слизывающую крем с кончиков наманикюренных пальчиков!

— Запастись тортами! Запастись тортами!!! — хохотала я так, что даже босс остановился и с изумлением смотрел на меня. — Нет, вы меня простите, но это очень смешно. Запастись тортами.

— Да? Да, смешно, — робко кивнула жена босса, о которой я вообще забыла, хоть она и сидела прямо рядом со мной.

— Это совершенно не смешно! — вдруг громко и очень зло заявил Алексей.

Я дернулась от неожиданности, и от этого моя приклеенная улыбка сорвалась и слетела на пол, где разлетелась на куски. Меня перекосила гримаса отвращения.

— Это еще почему? Ты лопаешь торты на пару с коллегой. Как ее? Ника? Отличная история, разве нет?

— Нет. Прекрати немедленно. Ты ведешь себя неприлично.

— Я? Я веду себя неприлично? Я? — Я вскочила со своего места. — Знаешь что? С меня хватит!

— Хватит? Вот и отлично, — «обрадовался» он. — Уверен, тебе лучше уйти.

— Прекрасно, — процедила я и выбежала за дверь.

В коридоре я остановилась, прислонилась разгоряченным лбом к холодной стене и попыталась выровнять дыхание. Что это со мной? Зачем я это все устроила? А вдруг это все не так, вдруг мне показалось, вдруг это не она? Да, к черту, какая разница, она это или не она. Есть же какая-то «Н.», и этого достаточно!

— Она в последнее время много нервничает. Знаете, может, возраст, — донесся до меня голос мужа. Голос был удрученный и подавленный.

— Возраст? Она же совсем молодая женщина, — удивился босс.

— Ну... я не знаю. Может, это из-за того, что она ничего не делает, ничем не занимается.

— О господи! — Я сморщилась и убежала на кухню.

Не понимаю, как это вдруг моя жизнь так изменилась. Еще вчера у меня была прекрасная семья, чудесный муж, дети. Откуда в его голове вообще весь этот бред? Ничего не делаю, это он обо мне?

— Вы прекрасно выглядите, Юлечка, — сказал мне на прощание Алешкин босс, сочувственно пожимая руку. Наверное, этим он хотел меня как-то подбодрить, но даже если и так, это у него не очень-то получилось.

Алексей закрыл дверь и посмотрел на меня. Я собралась было что-то сказать, но он меня опередил:

— Я ничего не хочу обсуждать. Я поеду и попробую как-то сгладить все это. А ты останься и попытайся успокоиться.

— Леш! — окликнула его я, но он так и не посмотрел на меня.

Он суетливо натягивал обувь, от спешки у него дрожали руки. Он пытался как можно быстрее покинуть наш дом. Я устало прикрыла глаза.

56 Зачем я буду ему мешать, если сказать-то мне ему вообще нечего?

Он уехал, а я выпила снотворного, запив его полным бокалом вина, и уснула. Момент, когда мой муж вернулся домой, никак не зафиксировался в моей памяти...

На следующий день, почистив зубы, наглотавшись аспирина и насадив на нос темные очки, я уехала из дома с еще спящим мужем. Я с трепетом миновала всех служителей ГИБДД, забрала детей от родителей, отвезла их в школу, закинула в химчистку зимние вещи, забрала пиджак и отправилась к девчонкам. На этот раз мы наметили к дегустированию японский ресторан в Конькове, а так как мы жили неподалеку, я долетела до него за десять минут.

— Вау, Светлакова, ты что, дебоширила всю ночь? — спросила Любка.

— Что, все так плохо? — огорчилась я. Мне хотелось думать, что дочери в машине хранили гробовое молчание по какой-то другой причине, а не из-за моего дикого внешнего вида.

— Очень, — кивнула Машка.

— Что случилось? — обеспокоилась Каринка.

— Ой, девчонки! — Я обвалилась на диван и принялась выкладывать всю подноготную, прерываясь на всхлипывания и заказ бизнес-ланча.

— Да как он мог!

— Вот подонок!

— Все они одинаковы!

— Нет, но чего ему-то не хватает! — наперебой щебетали верные подруги. — Ведь такой жены ни у кого нет.

— Да бросьте, ничего во мне такого. Машка вон готовит лучше, — хлюпала я носом. — И маникюр я не сделала.

— У тебя просто не было времени.

— И платье мое любимое еле налезло, — причитала я.

— Но налезло же, — подбодрила меня Машка, у которой тоже были проблемы с весом.

— А ты уверена, что все правильно поняла? В таком деле ошибка смерти подобна. Может такое быть, чтобы эта СМС была про что-то другое?

— «Когда твои дармоедки уедут? Я купила новое кружевное нижнее белье...»

— А вдруг это ему по ошибке прислали? — задумчиво протянула Любка. — У меня такое было. То есть не у меня самой, а у меня на работе. Одной девке повадился мужик один звонить. Телефон путал. Так вот, путал-путал, а сейчас она от него беременна.

— Ну? И что? Что в этом успокоительного? — набросилась на нее Машка.

А Карина неожиданно для всех нас ляпнула:

— Надо точно узнать, кто она, а потом навести порчу! Да, это прекрасно помогает.

— Что? — остолбенели мы. Кстати, небезынтересная идея.

— Между прочим, я так и сделала, — пояснила она и, увидев наши удивленные лица, добавила: — Тогда, ну, вы помните.

— Да-да, — запоздало закивали мы. По общей договоренности, с тех самых пор тему Борькиного вероломства мы вообще никак не обсуждали.

— И что, помогло? — спросила я. — И как узнать, что перед тобой не шарлатан?

— Методом проб и ошибок, — со знанием дела заявила Каринка. — К сожалению, диплома у них не попросить, а даже если и попросишь, все равно они у них у всех есть. Дипломы каких-нибудь академий магических изысканий имени черного мага Во.

— Почему Во?

— Потому что «во как дорого». В общем, надо искать. Я тогда месяц мыкалась, пока не нашла одну. Потомственная ясновидящая, двести процентов гарантия.

— Двести процентов не бывает, — уперлась Любка.

— Ничего, чем больше, тем лучше, — отмахнулись мы.

— Конечно! Только надо заполучить какую-нибудь вещь разлучницы.

— Это я не могу, — огорчилась я. — Я даже не уверена, что это именно та самая Ника с работы. Может, он с ней просто торт ел, а есть еще какая-то «Н.».

— Надо вещь. Обязательно, — категорически заявила Карина. — Или фото. Кстати, мужики ужасно неосмотрительны. Надо чуть-чуть последить, и он обязательно спалится.

— Да? Я следить не умею. И как-то это противно все. Да и вдруг не поможет эта шаманка. Только деньги переведешь, а у меня их и так в обрез. Только на хозяйство. Я даже на миостимулятор лица накопить не могу, — пожаловалась я.

Машка с опаской посмотрела на меня. У нее был этот самый миостимулятор, но она мне его никак не давала, хотя сама почти им не пользовалась. Говорила, что начнет завтра, но мы-то знаем, что она иногда просто жлобится.

— А я считаю так: надо клин клином выбивать. Наставь ему рога, — быстро предложила она, чтобы просто перевести тему.

— И чем это ей поможет? — удивилась Карина.

— Ничем. Но восстановит мировую гармонию и равновесие. И вообще, все присутствующие здесь согласны, что наша Юлька — настоящий клад? Да?

— Тут не поспоришь, — закивали подруги.

— И что этот идиот просто сам себе яму роет? Да? — продолжала Машка. — Тогда мужу по закону полагается только двадцать пять процентов. Я считаю, что надо срочно пристроить оставшиеся семьдесят пять!

— Да, но как? Это же не так просто, — возмутилась Любка. — Все-таки в метро она почти не ездит, в супермаркетах уже давно никто ни с кем не знакомится. Может, в школе? У вас там водятся папаши?

— Не-а. — Я грустно покачала головой. — Только мамаши. Сплошняком.

— Голяк.

— А я знаю верный способ познакомиться, — ухмыльнулась Машка. — Апробировано! Стопроцентный результат.

— Ну и?

— Только он звучит немного странно... — заюлила она.

— Выкладывай, — нависли мы над ней.

— Хорошо. Все очень просто. Надо просто попросить кого-то из знакомых мужчин написать твой телефон на стене в мужском туалете, — выпалила она.

Любка, опрометчиво делавшая глоток чая

именно в этот момент, от накатившей волны смеха начала плеваться чаем. Каринка уронила голову на стол и просто сотрясалась в немых конвульсиях, я же просто хохотала, представив, насколько эффективным может быть этот способ знакомств. Машка краснела и обижалась.

— А что такого? Надо только туалет выбрать поприличнее. В торговом комплексе!

— О господи! — вытаращилась Любка, отодвигая подальше чай.

— Между прочим, одна моя знакомая таким способом замуж вышла.

— Девки, держите меня, — простонала Карина. — Я сейчас кончусь!

— Ну и ладно. Не хотите — не надо. А между прочим, туда все мужики ходят. И чаще, чем в клуб! — Машка зло смотрела, как мы размазывались по стенам и столу.

— Машка, я тебя люблю. Все, у меня окончательно поднялось настроение. И я ничего уже не хочу! — Я обняла ее и расцеловала в обе щечки.

— Да, но про порчу не забудь, — добавила Каринка, немного успокоившись.

— Не забуду.

— Это обязательно, а то потом поздно будет, — гнула она свою линию.

— Почему поздно? — удивилась я.

— Да потому, что потом она наведет ее на тебя. И проблем станет в сто раз больше.

— Господи, как ты можешь верить в такую ерунду?! — скривилась Машка. — А может, ну его? Пинок под зад и начать новую жизнь?

— Ну нет! — хором ответили мы ей.

Я вытерла слезы (как радостно, что эти слезы — от смеха) и допила свой кофе. Мы посидели еще, перебрасываясь новостями, которые блекли на фоне супружеской неверности моего мужа. Под конец Любка рассказала анекдот про одного безымянного мужа, который вышел из дома за хлебом, а вернулся только через два дня. Причем с хлебом. А на все вопросы о том, где его носило, смеялся и отвечал, что просто очередь была большая.

— Очередь была большая! Нет, ты представляешь?! — хохотала Машка, вкладывая в счет чаевые.

Ресторан, кстати, нам не понравился. Васаби было мало, имбирь вообще был какого-то серого цвета. Да и рис не дотянул. В этот ресторан мы больше не вернемся, и за него мы не голосуем.

— До понедельника.

— До понедельника.

— Ну, ты держись, — хором пожелали мне подруги.

— Слушай, хочешь, я дам тебе свой миостимулятор? На время. Я сейчас им все равно не
пользуюсь, времени нет, — спросила Машка,
сделав над собой титаническое усилие. Такой
шанс упускать нельзя.

— Спасибо, — кивнула я и села в машину. — Это было бы просто здорово.

— Так ты заедешь за ним?

— Обязательно. На днях, — улыбнулась я и
тронулась с места.

Мне было почти хорошо, я получила свою до-
зу сочувствия и понимания. Кто бы сомневался,
ведь, в конце концов, для этого и существуют
друзья. Для этого и для того, чтобы было у кого
занять на время прибор для миостимуляции лица. Но главный вопрос, который мучил меня вот
уже неделю, простой русский вопрос «что делать?» так и остался без ответа. Хотя прогресс
налицо, варианты озвучены. Можно ничего не
делать, можно наставить мужу рога. Хотя с кем?
И как, если мне совсем ничего не хочется, а давать объявление в мужском туалете я не готова.
Можно, конечно, попытаться наслать порчу на
эту стерву. Почему «стерву»? По определению.
А можно... послать все к черту.

Разум подсказывал избегать последнего ва-
рианта, как огня. А сердце, сердце слушать мы
не будем.

ГЛАВА 4,

в которой я убеждаюсь,
что, если муж дарит цветы
без причины,
значит, причина все-таки есть...

---

28 июня, четверг
Уборка
Вымыть транспорт
Разобрать чемоданы
Закупить продукты
Реанимировать
цветы
Записаться к врачу
Фокаччу — скачать

После отпуска, как известно, не так-то просто войти в прежнюю колею. Черт его знает, что такое эта самая «прежняя колея» и что в ней хорошего, чтобы в нее входить. И вообще, может быть, лучше прокатать какую-то новую колею, чтобы все стало по-новому? Но нет, стоило мне вернуться домой, как я моментально испытала облегчение. Родные стены, родной сонный город, моя родная «восьмерка» «Жигули» с чуть подбитым глазом-фарой справа... Надо ее, кстати, помыть, что-то она запылилась.

Так, вносим в список.

Вот ведь парадокс, моя самая большая мечта в жизни — жить в доме из белого камня, из окон которого открывается бескрайняя морская синь. И вот три недели в примерно таком месте: в окнах белые яхты, бороздящие Средиземное море, на улице теплый бриз и всяческая нега. Все включено, причем так, что девочек можно вообще целыми днями не замечать, так они будут заняты едой, водными горками и аниматорами. Красота — отдыхай, расслабляйся, принимай пенные ванны и плавай в соленой воде, что, как известно, омолаживает и оздоравливает. Рай за умеренные деньги плюс при желании можно было последовать совету подруг и наставить-таки мужу рога с кем-нибудь из обслуживающего персонала. Все они, эти смуглые темпераментные красавцы с сильными руками, метали на меня молнии из-под черных пушистых ресниц. Все они с каким-то необъяснимым вожделением рассматривали меня вместе с лишним жиром по бокам и морщинами под глазами, которые я, кстати, старательно обрабатывала Машкиным миостимулятором все эти три недели. Не уверена, что результат был на самом деле, но уезжала я из Турции загорелая, уверенная в себе, обласканная сальными взглядами молодых турецких мужчин, но так и не нарушившая супружеской клятвы. Почему? Ну, уж точно не из любви к супругу. Если честно, как-то просто руки не дошли. Так было хорошо просто лежать, слушать музыку в плеере и лениво листать детективы, что вставать и идти кому-то улыбаться было откровенно лень. И потом, как-то все-таки это противно. Чем, скажите на милость, я досажу мужу, если отдамся где-то в массажном кабинете какому-то совершенно незнакомому и малоинтересному, по большому счету, мужику, даже не говорящему по-русски. Он бы даже имени моего не смог запомнить. Да что там, он бы его даже не произнес правильно. Сказал бы, что я — Джули. А у Любки, между прочим, так собачку зовут — Джули. Нет уж, спасибо. Так что я вернулась в спящую полуночную Москву честной женщиной, как это ни досадно.

— Вау, Юлька, как вы загорели! Ты посмотри только, это что за красотки! — широко улыбнулся Лешка, едва завидел нас в проходе, в толпе, ползущей с чемоданами от таможенного терминала. Он стоял совсем другой, летний, в длинных, до колена, шортах и светлой футболке-поло. Улыбка сияла на чуть потемневшем от загара лице, что свидетельствовало о том, что солнце тоже пробивалось иногда через густой московский смог. А в руках он держал букет цветов.

— Привет. Это мне? — прохладно кивнула я, на самом деле еле сдержав неподходящие случаю слезы. Почему, ну почему я по нему так соскучилась?! Почему, когда он вот так мне улыбается, мне хочется, чтобы я всю эту историю с его изменой просто придумала, а на самом деле мы с ним по-прежнему все еще самые близкие и родные друг другу люди?

— Ага, а кому же? — обиделся он. — Слушай, ты прямо помолодела лет на десять. Шикарно выглядишь.

— Ты тоже ничего. Так по какому поводу цветы? — все еще держалась я. Надо не забывать, кто передо мной. Нельзя расслабляться, а то потом будет еще больней.

— Просто так. Разве любящий муж не может подарить своей жене цветы? Я соскучился.

Он притянул меня к себе и принялся целовать. Я закрыла глаза и попыталась думать о чем-нибудь другом. О море. О детях. О нашей многострадальной Родине... Но когда Лешка целует меня, думать о чем-то еще совершенно невозможно. Действительно, он просто прекрасно целуется, так нежно, так страстно, что хочется сразу выкинуть белый флаг и обо всем забыть.

— М-м-м, а ты по мне скучала?

— Не очень, — хитро улыбнулась я. — У меня там были целые толпы поклонников.

— Ах так?! — притворно нахмурился он. — Но я надеюсь, ты помнила, что принадлежишь мне?!

— Ну... не всегда. — Я включилась, сама того не заметив, в нашу любимую игру. И до самого дома мы перебрасывались намеками, полунамеками, четвертьнамеками. Алешка потихоньку, чтобы сонные девчонки не заметили, поместил руку ко мне на коленку и по сантиметру продвигался вверх, заставляя меня покрываться красными пятнами и судорожно оглядываться на заднее сиденье.

— Что ты творишь? — шипела я на него.

— А что такое? Имею право! — весело подмигивал он мне.

В общем, до спальни мы добрались в полуобморочном состоянии и еле дождались, пока дочери вычистят свои зубки и закроют свои глазки. Все было так, как не было давно, очень давно. Я даже на секунду подумала, что, может, действительно все уже прошло, окончилось, как сильный ветер. Чуть пошатало, поломало ветки деревьев, однако пронеслось мимо, не разрушив самого главного. Фундамента нашего не затронуло.

— Я тоже по тебе скучала, — тихо прошептала я, когда Лешка уже уснул и даже начал похрапывать. У него было усталое лицо совершенно счастливого взрослого мужчины, я положила голову к нему на плечо и закрыла глаза.

Наутро он очень быстро собирался, как всегда теряя по дороге ключи от машины (он забросил их на верхнюю полку шкафа в прихожей), запихнув бумаги не в ту папку, в которую нужно, и во всем обвинив меня:

— Ты их просто куда-то переложила. Я вот тут их оставлял.

— Я вообще не видела никаких бумаг. Посмотри в портфеле повнимательнее.

— Ну... нет их нигде. Видишь, нету!

— А вот в том отделении?

— Там их не может быть, по определению.

— Но ты посмотри!

— Да зачем?

— Затем! — Я улыбалась. Мы так давно не виделись, что именно эти его крики и вопли и были для меня своего рода «старой колеей». Именно через это я моментально почувствовала, что я дома.

— А почему они тут? Как они тут оказались?

— Откуда мне знать? — пожала я плечами. — Пей свой кофе и выметайся, пока еще что-нибудь не потерял. У меня тоже много дел.

— Много дел? Интересно, каких? Ты же только ко приехала, — удивился муж.

— Ну, прибраться в квартире, чемоданы разобрать, все такое.

— А, это. Да тут у нас все вроде в порядке.

— У кого это у вас? — застыла я.

— У кого? У нас с тобой, — задержался он в дверях. — Я это имел в виду.

— А. Понятно, — кивнула я и закрыла за ним дверь.

Именно в эту минуту я поняла, что на самом деле все совсем не в порядке. Буря никуда не делась, не прошла, а именно сейчас-то я и стою в ее эпицентре, прямо посреди торнадо. А вокруг меня кружит и вертит бушующая стихия куски домов, машины, тряпки... и почему-то живую, мычащую корову.

Я вздрогнула, тряхнула головой и вернулась в дом. Итак, нечего предаваться скорбным мыслям, принимаемся за дело. Что бы он ни говорил, а квартиру следует приводить в порядок. Всегда, когда мы с девочками возвращаемся из отпуска, нас ожидают горы немытой посуды (как будто сложно включить посудомойку), тучи пыли под кроватями, черные от копоти подоконники и, конечно же, почти погибшие в летней жаре цветы, которым так и не досталось ни капли влаги за все время нашего отсутствия. Это было самое настоящее бедствие. Что бы я ни делала, как бы ни писала мужу записки, куда бы я их ни вешала — ничего не помогало. Я даже пыталась звонить ему и напоминать.

— Полей цветы.

— Ага.

— Полей их прямо сейчас!

— Ага, полью.

— Нет, ты встань и прямо немедленно пойди,

налей воды из крана, только не горячей, и вылей ее в горшки с цветами. Ладно?

— Ну что ты меня считаешь каким-то дегенератом. Сказал — полью, значит, полью! Отстань!

— Польешь?

— Полью! ПОЛЬЮ!!! — мог криком кричать он.

Однако за все двенадцать лет нашей супружеской жизни так ни разу и не полил. Поэтому, сами понимаете, первым пунктом из своего дневного списка я выбрала именно мои дорогие цветочки. И вот тут-то меня и ждал вполне очевидный, но не ожидаемый мной сюрприз. Да, конечно же, это естественно, что, раз в доме появлялась женщина, цветы оказались политы. Хотя, если бы она была умнее, она должна была проигнорировать все мои записки (они висели на холодильнике, так что она, конечно же, их видела). Она обязана была остаться к ним равнодушной и дать моим цветам тихо погибнуть. Но... нет. Она, видимо, не из таких. Она, значит, женщина сердобольная, и все мои цветы были не просто политы. Они были даже залиты, потому что некоторым из них просто не нужно было столько воды. Причем, несмотря на то что земля в цветах была увлажнена излишне, на подоконниках не наблюдалось никаких подтеков. Если бы это был мой муж, если бы только ему в голову пришла все-таки эта странная мысль поливать мои цветы — он бы точно оставил грязную воду мирно сохнуть до моего приезда, ибо уж вытирание подоконников — дело сугубо женское и недостойное мужского авторитета.

— Машка, она была тут! — зарыдала я в трубку, побросав все дела.

— Ты уверена?

— Да, она поливала мои цветы! Она вытирала мой подоконник!

— Этого мало, — категорически заявила она. — Я сейчас к тебе приду, будем искать вместе.

— Может, не надо? — забеспокоилась я. Собирать внеочередной девичник я не собиралась.

— Спокойно, Дубровский, я Маша. И я знаю, что делаю, — заверила меня подруга и повесила трубку.

К сожалению, вся наша компания жила в опасной близости друг от друга, так что Машка могла дойти до меня в считаные минуты. Мы и перезнакомились-то в свое стародавнее время на детской площадке, регулярно выгуливая в местном парке нашу детвору. В общем, остановить Машку было уже невозможно. Какое-то время у нее ушло, чтобы поставить под ружье Любку и Каринку и привести себя в божеский вид. Но в результате через час в моем доме шастали наподобие группы криминалистов, снимая отпечатки и рассматривая все под лупой, Машка и Каринка. Любка временно не смогла, у нее на этот день были куплены билеты в цирк, но обещала нагрянуть попозже, как только освободится, а пока Машка сосредоточенно шарила по моему дому.

— Тут явно пылесосили. И вытирали пыль с телевизора, — прищуривалась она, изображая из себя Холмса.

— Нет, Ватсон, телевизор Лешка сам мог протереть. Может, ему было просто плохо видно, — возразила Кариночка.

— Почему это я — Ватсон? Это ты Ватсон! — обиделась Машка.

— Неважно, кто Ватсон, девчонки, — примирительно пробурчала я. — Важно, что у него в холодильнике есть и еда, и продукты. Вон в сковородке что-то такое... как бы плов, что ли? Только почему-то жира много и все слиплось. Кто так готовит, это же месиво! И морковь там горелая, это вредно. У меня бы Лешка такого и ложки не съел.

— А мог он это сам сварганить?

— Ни за что. Он не знает, с какой стороны холодильник открывается. И где вилки лежат. Ему все надо подать и накрыть. А потом убрать.

— И все же плов, тем более такой вот жирный, он мог купить готовым, — предположила Каринка.

— Да, но такого никогда не было! — возразила я.

— Ну и что? — пожала плечами Машка. — Это ерунда. А вот то, что вся посуда, включая кастрюли, чистая, — это плохо. Стал бы он отмывать кастрюли? Никогда и ни за что. Максимум бы сполоснул. А тут ни жирных разводов, ни остатков еды, засохших по краям. Безобразие!

— Да уж, и все-таки это все — улики, конечно. Но улики косвенные, — огорчилась Машка.

— Мам, а чего это вы тут делаете? — удивленно спросила Дашка, обозрев перевернутую вверх дном кухню. Они с Лилькой были предусмотрительно отправлены мной на детскую площадку.

— Вы вернулись? — фальшивенько улыбнулась я.

— Ага. Мы голодные.

— Голодные? — растерянно повторила я. За всем этим расследованием еды-то я как раз и не сделала. И чего, кормить теперь их пельменями или жареными яйцами, в которых холестерин?

— Может, им плова дать? — тихонько предложила Машка.

— Ты что, с ума сошла? — вытаращилась Каринка. — А вдруг эта сучка через него колдует? Порчу насылает?

— Нет, ну ты ненормальная просто, — возмутились мы с Машкой.

— Знаешь, мам, мы попозже придем, ладно? — с опаской огляделась Дашка и исчезла.

Вот и правильно, вот и хорошо. Умные дочки.

— Так, девки, надо убираться. А то еще Лешка вернется, увидит весь этот бардак, и что? Как я ему все это объясню? — скомандовала я, и мы еще пару часов складывали все обратно на свои места.

Я выкинула плов (гадость какая заколдованная), еще раз полила цветы (пусть пьют из моих рук), закупила в супермаркете моих привычных продуктов, а заодно захватила бутылочку (две) красного винца. Все-таки мы с девчонками не виделись почти месяц, так что нам было о чем поболтать. Мы четырежды обсудили моего мужа, но потом выдохлись и просто сидели, трендели, обсуждали грандиозные способности Машкиного миостимулятора (она его уже забрала и сунула к себе в сумку, но все равно ей спасибо). Я рассказывала о турецких мужчинах, в том ракурсе, что русская женщина с ее лишним жирком на талии и попе — там настоящая королева красоты.

— Слушайте, как бы нашим мужикам объяснить, что женщина и должна быть мягкой и округлой. А то, чтобы им понравиться, надо превратиться в скелет. При этом им надо подавать пончики и борщ с пампушками.

— Н-да, несправедливо, — согласились мы.

В общем, день плавно перетек в вечер, я приготовила говядину в вине, и хотя все возмущались, что это перевод продукта, но лопали с огромным удовольствием. И Любка позвонила нам, сказала, что уже вернулась из цирка (как будто ей дома клоунов не хватало!), и обещала присоединиться к нам, как только накормит всех своих троглодитов и нагладит мужу на брюках стрелки. У него завтра, видите ли, важные переговоры, а судя по нашим голосам, мы пьем, а это значит, что вряд ли она, Любка, сможет отгладить их после визита ко мне.

— Да, мы пьем. Красное вино. И, между прочим, оно для здоровья полезно, так что ноги в руки и дуй к нам, — потребовала Машка.

Вечер становился все приятнее, и когда, часам к семи, Любка все-таки дотопала до нас, мы были уже тепленькие-претепленькие. Нет, не то чтобы пьяные. Чего там опьянеешь с бутылки-другой вина? Просто на душе было хорошо, а на мужа стало вдруг наплевать. Может, действительно, он сошел с ума и принялся готовить, убирать и поливать цветы? А что, у всех по-своему протекает кризис среднего возраста! Так что, когда я открывала дверь Любке, мир уже не казался совсем уж отвратительным.

— О, Любовь, проходи! Тебя-то нам и не хватало. Ты вина не принесла? — балагурила Машка, а Каринка (ох уж эта вечно тихая и заботливая Каринка!) уже убирала со стола и ставила для Любки чистую тарелку.

— Маш, подожди, — отмахнулась от нее Любка, сосредоточенно обкусывая губы. — Юлька, ты сядь.

— Чего? Это ты сядь, — улыбнулась я, забирая у нее из рук пакет.

— Надо поговорить. Сядь, говорю!

— Да мы и так тут целый день только и делаем, что говорим, — ухмыльнулась Машка. — И сидим.

— Да утихомирься ты! Я тут кое-что видела. То есть слышала. Юль, ты только не волнуйся. Там... там в коридоре, ну, там... на лестничной клетке..

— Что? — Я моментально протрезвела и побледнела. — Что случилось?

— Ты сядь.

— Да говори ты! — потребовали все.

— В общем, там твой муж. Я просто не стала лифт ждать и пошла по лестнице. Лифты у вас черте-те как ходят, пока дождешься, лопнуть можно. Да и полезно это, по лестнице ходить, — тянула она. Вид у нее был растерянный.

— Я ее сейчас убью, — разозлилась Машка. — Будешь ты говорить?

— Буду, — кивнула она. — В общем, я услышала его голос.

— Чей? — не поняла я. Хотя Любка изъяснялась предельно ясно.

— Мужа твоего. Все-таки у него голос такой, что не перепутаешь. И потом, сколько я его по телефону слышала. И так, вживую. В общем, я как-то сразу поняла, что это он. И короче, он там стоял, прямо за дверью, и разговаривал. С ней.

— Откуда ты знаешь? — побледнела я. — Откуда ты так уверена, что с ней?

— Он называл ее «солнышко» и говорил, что он обязательно что-нибудь придумает. И что тоже ее хочет. И что ты ни о чем не догадалась, — выпалила Любка.

— Что? Что он сказал?! С этого места поподробнее! — потребовали все. — Дословно!

— Да не орите вы, он же в любой момент придет! — рявкнула Любка. — Ну, в общем, так. Он сказал: «Солнышко, я обязательно что-нибудь придумаю, — потом помолчал и сказал: — Нет, она не догадалась, все нормально. — Потом, кстати, довольно зло так сказал: — И не надо форсировать события, я сам все буду решать. Сейчас, — говорит, — не время. Она, — говорит, — сейчас не в лучшей форме, я не могу с ней так поступить. — А дальше так примирительно: ну... как-то там он ее назвал. — Я тоже тебя люблю. Но я просто не могу, ты же знаешь. Она все-таки моя жена...»

— Как назвал? Ты не расслышала, что ли? — разозлилась Машка.

— Я все расслышала. Я же стояла от него в метре. Знаешь, как я дергалась, что он меня обнаружит?

— Фу, как ты выражаешься, — скривилась воспитанная Каринка.

А мне было плевать, хоть что, лишь бы услышать конец этого весьма познавательного рассказа.

— Ну, извиняйте. А я именно это и делала. Он стоял и мог услышать, наверное, как я старалась не дышать. Но он был так занят разговором, что вообще ничего не замечал.

— Так как назвал? — переспросила я.

— Кажется, рыбкой. Нет, не рыбкой. Как-то по-дурацки...А, рыбенком. Да.

— Повтори! — еле сдержалась, чтобы не заорать, я.

— Рыбенком, через Ы. А что такое? — Она растерянно смотрела на мое побелевшее лицо.

— Вот подлец, е-мое! — прорычала Машка.

Я же молчала. Можно было, конечно, опять убедить себя, что все не так и не то. Договориться с собой. Только вот... рыбенок. Именно так Лешка когда-то звал меня. И дочек он тоже именно так звал, когда бывал особенно нежен. Рыбенок ты мой, рыбенок. Это его слово, именно его и больше ничье. Вот и все понятно. Все ясно, так что утритесь и знайте, что ваш муж любит другую женщину. Которая даже плов не умеет готовить. А со мной он просто «не может так поступить». Причем не вообще, а именно сейчас. Потому что я не в лучшей форме. Ха-ха! Три «ха-ха»! Что-то вчера в постели он совсем не жаловался на мою ужасную форму.

— Ты уверена, что он именно так сказал? — жалостливо обняла меня за плечи Каринка.

— Уверена, — трагически кивнула Любка. — Я уверена, что она хочет вас развести.

— Кошмар! — закрыла рот рукой Каринка.

— Постой, а сейчас он где? — спохватилась Каринка.

— А, он что-то в машине забыл. Он еще после разговора чего-то стоял там, у лифтов, кажется, курил. Я уже думала, мне к вам вообще не попасть, придется отползать. А тут он взял и ушел. Перезвонил еще раз ЭТОЙ и ушел, кажется, в машину.

— Это так на него похоже, — кивнула я, удивляясь странному спокойствию, снизошедшему на меня.

Машка с подозрением меня осмотрела.

— Да, я ж вам не сказала самое главное, — спохватилась Любка. — Он же снова ей перезвонил. И сказал, чтобы она ждала его завтра. В ресторане, он сказал: «Жди меня на Таганке в ресторане, в обед».

— Юль, у твоего мужа нет любимого ресторана на Таганке?

— Есть, — еще спокойнее ответила я. — Это рядом с его работой. Там рядом «Шеш-Беш», он в него часто ходит.

— Ну, значит, завтра в обед. Он во сколько обычно обедает? — продолжила было Любка, но тут мы все услышали, как хлопнула входная дверь.

Я вздрогнула и отвернулась, пытаясь за оставшуюся секунду справиться с собой. Девчонки, как по команде, замолчали и принялись ковыряться в тарелках.

Алешка скинул сандалии и прошлепал в носках на кухню.

— Привет честной компании. А я и не знал, что у нас тут так весело.

— Да уж, мы времени зря не теряем, — выпалила Любка, злобно сверля его взглядом. Но мужчины не чувствует такого, иначе от моего взгляда в спину его бы разорвало на куски.

— Вот и молодцы. Юль, а у нас есть что пожрать?

— Пожрать? — Я задумалась, можно ли мое мясо по-французски в красном вине пожрать. — Нет, пожрать нет. Но ужин есть.

— Отлично, — кивнул Лешка и плюхнулся на табурет.

Я подошла к плите и стала наваливать ему

еду, считая про себя до ста, чтобы не сказать ни слова. Ни слова. Месть — это блюдо, которое подают холодным, хотя мне очень хотелось облить дорогого супруга обжигающе-горячим соусом, чтобы стереть самоуверенное выражение с его постаревшего лица. Но... надо досчитать до ста. Надо дождаться завтра, надо швырнуть ему все обвинения в лицо и так, чтобы он не смог отпереться, сказать, что у меня нервы и что я сама не понимаю, что несу.

— Вкусно? — спросила я, просто из интереса. Может, он уже полностью перешел на жирную невкусную пищу своей любовницы, пока меня не было?

— О, сказка! Вот именно по этому самому я соскучился страшно.

— Кушай-кушай, — улыбнулась я и посмотрела на девчонок.

Кажется, я выглядела в этот момент так страшно, что испугала даже их. Но Лешечка кушал.

— Ну, а у тебя как прошел день? — из чистой вежливости спросил он.

— Прекрасно, просто восхитительно! — широко улыбнулась я.

— Да? Вот и отлично.

— Да. Я-то думала, что буду целый день убираться, но оказалось, что мои многолетние призывы наконец-то как-то разом до тебя дошли, так что... выяснилось, что все у нас в доме почти идеально, так что я просто весь день развлекалась.

— Вот и молодец, — напрягся и побледнел муж.

— Да, отдельное спасибо за цветы. Воды в них, правда, немного даже перелили. В другой раз так не упорствуй. Поливай не чаще двух раз в неделю. Ах да. Извини уж, но плов ты готовишь плохо, так что мы с девчонками его выкинули, — продолжала я как ни в чем не бывало.

— Плов? — совершенно бездарно растерялся Лешка.

— Ну да, тот, что ты в сковородке оставил.

— Ах да. Это я... просто попробовал. Надо же хоть раз в жизни что-то состряпать. Но видишь, я без тебя не могу справиться, — неуверенно сочинял на ходу муж.

— Нет-нет, ты прекрасно справляешься, — ухмыльнулась я.

Вдруг я со всей отчетливостью поняла, что если еще хоть на минуту останусь в одном контуре с ним, то непременно взорвусь. Это все было как-то слишком для меня. Любить его теперь — невыносимая тяжесть. Словно на меня обрушилась бетонная плита. Я больше совсем не могла его любить, я не могла смотреть, как он ест, слушать, как он врет, ждать, когда он меня предаст.

— Юль, мы пойдем, пожалуй, — аккуратно кивнула Машка, поймав паузу, и направилась к выходу.

— Нет! — вскрикнула я. Я очень боялась остаться с ним наедине. — Я с вами.

— С нами? — удивилась она.

Я посмотрела на Лешку. Он застыл с ложкой в руке, не зная, как на все это реагировать. В обычные дни он немедленно напомнил бы мне, что подруги подругами, а семья в первую очередь, и что и так мы уже весь день проболтали, и что ему тоже нужно мое внимание и забота. И что, конечно же, он слишком устал, чтобы оставаться с нашими шумными дочками один на один...

— А что? Пойдите погуляйте. Погода прекрасная, а ты и так три недели была одна с детьми.

— А дочки? — поинтересовалась я.

— Мы справимся. В конце концов, они уже не такие маленькие. Да, мы вполне справимся без тебя, иди повеселись, — ласково улыбнулся он.

И от этих его слов меня окончательно перемкнуло. Я схватила первый же попавшийся платок, повязала его на шею и, стараясь не встретиться с Лешкой взглядом, молниеносно обулась, схватила сумку, сунула в нее кошелек и вылетела из собственного дома, как из пыточной камеры.

Относительно свежий воздух ночной Москвы растрепал мои темные длинные волосы, а в глазах застыли слезы. Я почти ничего не видела перед собой. Мы отлично справимся без тебя! Нет, так дальше продолжаться не может.

ГЛАВА 5:
ирония судьбы,
или с легким угаром!

> **28 июня,**
> **все еще четверг**
> *Ненавижу!*

Детскую площадку только по ошибке можно считать местом исключительно детского выгула. И существует довольно-таки стабильный график ее эксплуатации. Рано утром, часов до семи, на площадке производится выгул собак, что негативно сказывается на ее экологии, но сделать с этим ничего нельзя. Собаки вместе с хозяевами делают свое черное или мокрое (по потребностям) дело и отчаливают на работу. Далее, в промежуток с семи до девяти утра на детской площадке проходит опохмел перебравшего с вечера населения. В это время она преимущественно принадлежит мужчинам и с детьми туда лучше не соваться, если, конечно, вы не хотите, чтобы вас обкурили и стрельнули у вас полтинничек на пиво. Мимо опохмеляющихся бодро пробегают утренние бегуны, пьянчужки провожают их презрительными взглядами, как салаг, ничего еще не понимающих в настоящей взрослой жизни, полной бед и треволнений. Бегуны же, как правило, так погружены в себя, что ничего этого не замечают.

Далее начинают подтягиваться мамаши. Причем сначала очень хорошие мамаши, живущие по режиму, а потом все более ленивые и нерадивые. К двенадцати площадка ломится от кричащих и скачущих по горкам и качелям деток, а мамаши сидят на лавочках и покуривают, обсуждая новости. Затем процесс принимает обратный характер, и мамаши уходят в строго противоположном порядке. Самые ленивые уходят первыми. Около двух на площадке начинается тихий час, и только старушки, совершающие дневной моцион, могут посидеть на лавочке, щурясь на солнце. И до самой темноты площадка открыта для всех желающих, но после заката власть меняется и на столы, становясь ногами на лавочки, взбирается шпана. Молодые и горластые подростки с пивом и запасом сигарет окончательно замусоривают периметр, гнут недогнутые в прошлый раз качели, чем производят неизгладимое впечатление на раскрашенных под «вамп» подруг. В темноте площадка становится тусовкой, и подходить туда простым смертным опасно.

Когда мы с девчонками выпорхнули дружной толпой из моего семейного склепа, в котором по ошибке мы жили, как живые люди, уже темнело. Настроение было странное: то ли водки выпить, то ли зарезать кого. Возможно, что и то, и другое в тот момент было бы для меня в самый раз. Мы подошли к столику и, как заправские хулиганы, сели на него, поставив ноги на лавочку. Видимо, все дело в том, что в темноте не видно, грязная лавка или нет, так что рисковать не хотелось. Сначала мы просто молчали. Потом Каринка вздохнула и приобняла меня за плечи. Все оживились.

— Не, ну как он врал, как он врал! — закатила глаза Машка, кивнув в сторону подъезда.

— Надо же что-то состряпать! — фыркнула Любка. — Да у него на лбу написано, что он и пельменей не отварит себе сам.

— Не, девчонки, скажите на милость, почему он ничего не убрал? — возмутилась Карина. — Неужели же трудно было догадаться, что плов надо выкинуть.

— А цветы подсушить. И пыли нанести, — хмыкнула Любка. — Ты в своем уме? Мужики вообще о таких вещах не задумываются. Это все она — бабища его, — это она хотела о себе знак подать. Говорю тебе, у нее все это не просто так. Развести она его хочет, сучка такая. Ну ничего. Ничего, мы ей устроим. Она у нас попляшет. Шиш ей с маслом, а не нашего Лешку, верно?

— Конечно! — кивнула Машка. — Завтра мы ее отловим и отмудохаем.

— Я не умею мудохать, — возразила Кариночка.

— Ничего. Зато у Любки удар левой прекрасный. Помнишь, как она своему мужу синяк поставила? — усмехнулась Машка.

Любка покраснела.

— Я же просила, девки, не надо напоминать. Я ж была не в себе.

— Так и сейчас надо уже выходить. Из себято, — пожала плечами Маша. — Верно, Юль?

— Знаете, спасибо вам большое за все, но я, пожалуй, пойду, — ответила я, глядя, как подростки, нахмурившись, проходили мимо детской площадки.

Мы заняли их место, и теперь они не знали, куда деваться, так что маячили перед нами, всеми силами давая понять, что время благовоспитанных мамаш уже закончилась. Гейм, как говорится, овер.

— Проходите, детки, проходите. Не толпи-

тесь. — Машка махала рукой так, словно перед
нами были не подростки, а стайка жадных голу-
бей на площади. — Ты о чем, Юль?

— Пойду я, — повторила я.

— Пойдешь? Куда? — не поняла Маша.

— К метро, — пространно пояснила я, испы-
тав странное желание закурить. Вообще-то я курить не умею, а тут вдруг, глядя на этих детей,
захотелось почему-то попробовать. Нет, не то
чтобы я никогда не пробовала. Когда-то давным-давно — когда деревья были большие.

— Юль, ты чего? — окрикнула меня Любка.

Я с трудом вынырнула из мыслей и посмотрела на нее.

— Я в порядке, — успокоила я ее.

Но она почему-то замолчала и напряглась.
Возникла неловкая пауза, девчонки переглянулись, обеспокоенно оглядели меня с ног до головы.

— Уверена? Куда ты собралась?

— Мне... мне надо побыть одной. Вы только
не волнуйтесь, ладно? Завтра увидимся.

Я старательно сдерживалась, чтобы не встать
и не уйти просто так, без всяких объяснений.
Мне хотелось, чтобы все они убрались, исчезли.
Просто в одну секунду испарились, забрав с собой и весь этот дурацкий мир в придачу.

— Так ты завтра пойдешь в «Шеш-Беш»? —
забеспокоилась Любка.

Я не сразу даже поняла, о чем это она. Ах да, «Шеш-Беш», Алешкин ресторан, Алешкина любовница, поимка на месте преступления. Боже, как все глупо... Однако Любка смотрела на меня пристально и с прищуром. Еще бы, ведь она эту информацию добывала, рискуя жизнью. Ну, не жизнью, но репутацией.

— Я не знаю. Я... я позвоню, — забормотала я. Голова была тяжелой и работала плохо. Хотелось уйти в себя.

Каринка посмотрела на меня, затем встала и отряхнулась.

— Да, девочки, пошли. Ей надо. Я знаю, что это такое, — кивнула она.

Я вспомнила, как год назад она сидела рядом со мной с вот таким же белым лицом и тоже просила, чтобы мы ушли и не вмешивались. Но она тогда уже знала, что будет делать и как будет ко всему этому относиться. Я ничего не знала. И даже не хотела об этом думать. Просто хотелось, как в детстве, сесть в поезд и под стук колес уехать куда-то далеко-далеко. Навсегда-навсегда.

— Не нравится мне все это! Может, тебе у меня переночевать? Я сейчас же позвоню своему и предупрежу, — предложила Машка.

— Не надо. — Я умоляюще посмотрела на нее и сжала ее руку, испугавшись, что она и

правда возьмет и разовьет свою бешеную активность.

Нет, ничего я ни от кого не хотела. Только
тишины и еще, может быть, сигарету. Как в кино, посмотреть пристально вдаль, чтобы от моего пронзительного взгляда у зрителя (как будто бы меня показывают в кино) перевернулось
что-то в душе. И в этот момент я поднесу ко
рту горящую сигарету и выдохну клубы сизого
дыма. И тут станет окончательно ясно, что я
СТРАДАЮ.

Я встала с лавочки и пошла вниз по улице, в
сторону метро. Девчонки, наверное, смотрели
мне вслед, но я не стала оборачиваться, я вся
сосредоточилась на теплом ветре, целующем
мои еще молодые, плавно очерченные плечи.
Сколько мне лет, тридцать пять? Это много или
мало? Все эти годы я измеряла возрастом Алексея, мне и самой словно бы было теперь сорок
три, во всяком случае, всегда я ощущала себя
его ровесницей. Но ведь это совсем не так, и вот
оно, лучшее тому доказательство: на меня из
витрины смотрит усталая, но очень загорелая
молодая женщина с немного полноватыми бедрами, которые ее даже не портят. И светлое
шелковое платье, которое я обожаю, развевает-
ся от ветра, и ноги стройные, и руки с тонкими
длинными пальцами. И маникюр, который я де-

лала еще там, у моря, когда все еще было почти хорошо.

— Да, ты хороша! Ты могла бы быть просто прелесть, — заметила я вслух и улыбнулась своему отражению.

Из-за витрины мне в ответ улыбнулся манекен, погруженный в свои непостижимые мысли. Его пластиковая кожа не старела, не покрывалась морщинками, он не плакал и не страдал. И на секунду мне захотелось стать такой же, как и он, — бесчувственной и витающей в облаках...

Метро было переполнено, мне так и не удалось присесть. Я стояла около двери и смотрела на лица проходящих мимо людей, а поезд уносил меня подальше от моего «Конькова», и уже одно это делало меня почти счастливой. Люди вытекали и вновь вливались в вагон, растекались по проходам, хватались руками за поручни и прикрывали глаза. И у каждого были свои мысли, свои стремления и мечты. Каждый из них проживал свою собственную жизнь, с какими-то проблемами и нерешаемыми задачами. И нас, людей, было так много, что одно мое отдельно взятое горе как-то размылось, растворилось и перестало что-то из себя представлять.

— Девушка, на следующей будете выходить? — толкнула меня в бок какая-то старушка.

От неожиданности я вздрогнула и подпрыгнула, наступив на ногу какому-то спящему мужику.

— А надо? — глупо переспросила я старушку.

Она нахмурилась.

— Откуда я знаю, надо вам или нет?

— А какая станция? — поинтересовалась я.

— «Октябрьская», — фыркнула бабка и, оттолкнув меня, встала впереди.

— Пожалуй, я выйду, — пожала я плечами.

Если учесть, что я все равно не очень-то понимала, куда еду, мне было совершенно все равно, где выходить. Почему бы не на «Октябрьской», в конце концов? Чем плохо?

— Напьются и ездят! — Бабка произнесла это тихо, но так, чтобы я все же услышала.

— Точно, — усмехнулась я.

Людской поток вынес меня из подземки на улицу, побросав немного о коммерческие палатки. Что делать дальше, я не имела ни малейшего представления. Передо мной лежал шумный, ярко сияющий перекресток, по всем сторонам которого сновали люди. Господи, как много на свете людей, почему же все мы так одиноки, так несчастны! Чего такого хочет от жизни мой муж, ради чего стоило бы развалить такую чудесную семью, как наша? Самое паршивое во всем этом было то, что мы с ним на самом деле были счастливы. Возможно ли, чтобы вообще счастье длилось долго, или то, что произошло, — естественное стечение обстоятельств и глупо было рассчитывать на то, что судьба возьмет и обойдет меня стороной? Наверное, глупо, потому что все рано или поздно заканчивается, и, значит, сегодняшний день ничем не хуже любого другого. Счастливая семья — как «Титаник»: прекрасна, но обречена утонуть, верно? И если у нас с Лешкой ничего не получилось, это значит, что это вообще невозможно.

Я думала так, и мне стало даже легче на душе, но тут с витрины какого-то спортивного магазина прямо мне в глаза бросилась надпись, заставившая меня остолбенеть и застыть прямо посреди улицы. Там на самом обычном рекламном плакате кроссовок было написано: «Невозможное возможно!»

— Что? — ахнула я и замерла на месте.

Знаете, я вообще-то не верю во всякую прорицательскую чушь, не верю в Каринкиных предсказательниц и гадалок, не верю в судьбу. Теперь еще не верю в семейную жизнь. В голове звучало: это всего-навсего реклама! Но я стояла и смотрела на нее. Смотрела и смотрела, и, кажется, смеялась, а может быть, плакала, совершенно не замечая ничего вокруг. И тут...

— Эй, мадам, с вами все в порядке? — окликнул меня чей-то голос из-за спины.

— Что?

Я резко обернулась и обнаружила прямо перед собой открытую машину серебристо-голубого цвета, из которой на меня смотрел типчик лет тридцати, до смешного похожий на желтый смайлик из Интернета. Знаете, такой желтенький кружочек с черными очками и широкой белозубой улыбкой во все лицо. А теперь представьте такой же, только живой смайлик, улыбающийся мне из открытого кабриолета.

— Тут вообще-то выезд. Может, отойдете? — еще шире улыбнулся он, отчего я просто затряслась в истерике. Не столь часто мне удается увидеть живой смайлик в очках. И вообще, на улице уже темно, вечер — зачем, спрашивается, носить черные очки, если ты не смайлик?

— Я что, кажусь вам смешным? — нахмурился смайлик.

И (ах, как жаль!), сняв очки, сердито посмотрел на меня. Конечно, в этот момент сходство с интернетным кругляшком было безвозвратно утрачено, и передо мной остался только смазливый и очень (ОЧЕНЬ!!!) ухоженный молодой мужчина, с голубыми глазами, полный любви к себе, своей выпендрежной машине и большому городу с огнями бутиков. Метросексуал, одним словом. Сидит и пялится, презрительно рассматривая мой простенький шарфик. И тут я вспомнила, что вообще-то нахожусь на улице, стою на выезде из какой-то арки и трясусь перед рекламным плакатом. Конечно, это не может показаться ему нормальным, но это не значит, что можно вот так бесцеремонно пялиться на меня.

— Ну... нет, конечно.

— Тогда дайте проехать! — зло рявкнул он, дернув машину вперед так резко, что мне пришлось отскочить назад, чтобы не попасть под его модные колеса.

— Псих ненормальный! — злобно крикнула я. — Вы что, так спешите, что готовы давить людей?!

— Не стой под стрелой, — ухмыльнулся этот пижон и горделиво проехал мимо меня.

Я в бессильном бешенстве стояла и смотрела на свет его задних фар. Впрочем, посмотреть еще было на что. К моему вящему удовольствию, стоило ему только вырулить (не без труда) на дорогу, как его серебристо-голубая птичка намертво застряла в столичной пробке, сразу же за каким-то грузовиком.

— Ха-ха! — развеселилась я и встала напротив его тачки на тротуаре, развлекаясь тем, что наблюдала, как он делает вид, что ему не до меня.

Он так старательно отводил глаза и постукивал пальцами (с маникюром) по рулю, что было понятно, что ему самому противно стоять тут, зная, что я на него смотрю.

Вообще, строго говоря, на московских дорогах открытый кабриолет вообще смотрится достаточно дико. Кругом давка, бибиканье и ругань, а тут ты — в белоснежной льняной рубашке, с кожаным кейсом на переднем сиденье и с баночкой зеленого чая с жасмином в специальной подставке. И все на тебя смотрят, все слушают твою музыку, все видят, что ты почесываешь затылок... Но тут через пару минут после того, как я уставилась на него, пробка все-таки тронулась, и грузовик, стоящий впереди машины-мечты с пижоном-смайликом внутри, тоже тронулся. И сделал он это в силу своего технического состояния соответственно — с диким ревом и дерганьем, а также с клубами черно-сизого дыма из выхлопной трубы. Господи, как же это было смешно! Моего мачо с головой покрыло вонючим дымом. Он откашливался и размахивал рукой в поисках хоть одного глотка свежего воздуха! Мне даже стало его жаль, потому что я тоже ощутила, насколько вонюч этот дизельный выхлоп отечественного грузовика.

— Что, смешно?! — повернулся ко мне смайлик, в ярости скривив рот.

Я попыталась остановиться, но не смогла. Только выдавила сквозь слезы:

— Вообще-то да!

— Что? — вытаращился он, но через секунду вдруг как-то расслабился и тоже засмеялся, причем таким молодым, таким хорошим смехом, что сразу стало ясно — передо мной совершенно нормальный человек, как это ни странно. Нормальный, просто загримированный под придурка.

— Этот грузовик — настоящее чудовище. — Я показала на немного затихшего монстра.

Товарищ в кабриолете посмотрел на меня, чуть прищурившись, и вдруг ни с того ни с сего спросил:

— А хотите, я вас подвезу?

— Подвезете? — растерялась я. — А куда?

— А куда вам надо?

— Да в том-то все и дело, что мне никуда не надо, — развела я руками.

— Ну, тогда... тем более, — радостно улыбнулся он и свернул с проезжей части на обочину. — Садитесь.

— Да?

Я с сомнением посмотрела на его идеально начищенную тачку. О чем я думала в тот момент? Странно, но я вдруг вспомнила свою «восьмерку» и подумала, что так и не успела ее помыть. Однако через секунду, даже не успев как следует ни о чем подумать, я уже сидела в кабриолете, ощущая нежную кожу дорогих кресел.

— Николай.

— Юля.

— Очень приятно. — Он посмотрел на меня хищным взглядом — осмотрел, глядя сверху вниз, и довольно кивнул.

Кажется, именно в ту минуту я поняла, что мой ухоженный кавалер несколько пьян. В другое время этот весьма противозаконный факт привел бы меня в негодование — пьяный за рулем, а тут это даже не показалось мне важным. И вообще, мне не было стыдно или страшно, а было просто интересно, что будет дальше. Что будет со мной происходить? Он, Николай, не имел для меня ровно никакого значения, но под этим его взглядом кровь прилила к лицу, а кончики пальцев похолодели. Я подумала, что давным-давно не попадала в такую ситуацию, а может быть, даже никогда.

— Ну, вы готовы?

— К чему? — поинтересовалась я. — Впрочем, да.

— Тогда поехали, — чуть помедлив, кивнул он и тронулся с места.

Пробка, столь недвижимая до сих пор, вдруг покачнулась и плавно потекла вверх по улице, к мосту, за которым виднелся Кремль. Город грелся в теплой летней пыли, а я думала, что вот как же это все-таки странно — я словно попала в рекламу дорогого автомобиля. Рядом со мной улыбался белозубый молодой красавец с сильными загорелыми руками, мимо меня пролетают улицы, и возможно, я сегодня впервые в жизни все-таки изменю мужу. Изменю, хоть я и совершенно не вижу в этом никакого смысла. Но так ли уж это странно и ново совершать бессмысленные поступки только по той причине, что жизнь стала невыносимо болезненна. Попытки справиться с болью могут толкнуть человека на что угодно.

— Хотите виски? — спросил меня Николай и достал из бардачка фляжку. Он сделал это, перегнувшись через меня, раскрыл бардачок прямо на скорости, не снимая левой руки с руля.

— Вы не боитесь разбиться? — вскользь бросила ему я.

— А вы?

— Мне это безразлично. — Я пожала плечами и взяла у него фляжку. — Но, кажется, сейчас покататься с виски очень дорого стоит.

— У меня тут все включено, — усмехнулся он и нажал на газ.

Острый вкус дорогой самогонки обжег меня, я дернулась, как от легкого электрического разряда, а через минуту мне стало хорошо. Нет, не хорошо, но... лучше. Иногда говорят — пациент стабильно тяжелый. А иногда говорят — есть динамика. С каждым глотком виски у меня появлялась динамика, но терялась ориентация и точность мысли.

— Хорошее виски! — крикнула я, исподтишка разглядывая моего знакомца. Крикнула, потому что мы выехали на какую-то большую трассу, по которой с ревом неслись сотни других машин. Нет, определенно, кабриолеты — это транспорт не для Москвы.

— А зачем пить плохое, верно? — крикнул мне в ответ Николай. — Лучше уж тогда вообще ходить трезвым.

— Не все так считают, — ухмыльнулась я. — А сигаретки у вас нет?

— Так вы еще и курите! — присвистнул он. — А с виду приличная женщина. Вот, держите.

— Я самая обычная женщина, — заявила я и со второго раза с его помощью прикурила какую-то ароматную сигаретку, название которой ничего мне не говорило.

И что, вот об этом я мечтала весь день? Чтобы меня окутали клубы едкого дыма, а сама я кашляла минут пять, не переставая? Но... Николай пристально смотрел на меня, и я продолжала курить, старательно имитируя опытность в этом вопросе.

— Обычная? Вы уверены? Вы явно курите сейчас впервые в жизни.

— Неправда! — возмутилась я. Действи-

102 тельно, я же делала попытки в годы студенчества. Правда, они были еще менее удачными, чем эта.

— А еще вы пьете мое виски и даже не спрашиваете, куда я вас везу. Вероятность того, что вы проститутка, я исключаю, ибо в этом случае я уже давно узнал бы вашу таксу. И для проститутки вы староваты. Вам сколько? Около тридцати? Двадцать семь?

— Ага, — с готовностью кивнула я.

Значит, Машкин миостимулятор работает, если мне и тридцати не дают! Надо будет купить... потом, когда все уляжется.

А оно уляжется?

Я задумалась о своем и не сразу услышала, что Николай продолжает что-то мне говорить сквозь шум. Что-то про любовь.

— Что вы сказали? Простите, я не расслышала.

— Я сказал, что мне хочется, конечно, думать, что я вот так, с первого взгляда, вас поразил, что вы влюбились и теперь готовы идти за мной на край света, но... ваши глаза говорят мне, что это не так. Верно?

— Если честно, то сейчас мне просто хочется на край света. Все равно с кем. Ничего, что я так вот откровенно?

— Вообще-то это нехорошо. Я-то уверяю всех, что при виде меня женщины в штабеля укладываются, — усмехнулся Николай. — Но вы опровергаете мои утверждения. Впрочем... все нормально. Если вы хотите еще виски, вы пейте, пейте.

— Я пью, пью, — улыбнулась я и сделала глоток.

В этот момент какой-то сотрудник постовой службы все-таки не смог пропустить мимо голубой кабриолет. Он взмахнул своей волшебной палочкой, и Николай лихо затормозил, ни на секунду не смутившись своего состояния и того, что от него ощутимо разило виски. Однако... к моему удивлению, никаких проблем не случилось. И даже наоборот, Николай махнул перед носом гибэдэдэшника какой-то коркой красного цвета, и тот, кивнув, что-то сказал ему, улыбнувшись. Затем отдал ему такую, знаете ли, дружескую ласковую «честь» и отпустил с миром, не коснувшись меня даже взглядом.

— Лихо вы разбираетесь. Мне кажется, я села в правильную машину, — польстила я ему.

— Это как посмотреть, — пожал плечами Николай. — Мы почти приехали.

— Да? А куда? — Я осмотрелась вокруг, мы находились на какой-то незнакомой подземной парковке.

— Ко мне. Только давайте сразу договоримся о формате сегодняшнего вечера. Я вижу, что у вас что-то случилось. И вы вся на взводе и, кажется, готовы поделиться со мной и вообще с кем угодно о вашем страшном горе. Так вот, мне это все неинтересно. — Он деловито сворачивал над машиной матерчатую крышу.

— А что вам интересно? — решила было я обидеться, да передумала. В конце концов, зачем ему, действительно, мои проблемы?

— Мне? Ну... мне интересно просто посидеть, выпить. Поговорить о чем-нибудь нейтральном. Может быть, посмотреть какой-то фильм. Хотите?

— Звучит прекрасно, но зачем вам это? — неподдельно изумилась я.

— Думаете, что мужчинам нужен только секс? А может быть, я не хочу оставаться на вечер в одиночестве. Мы, люди, знаете ли, странные существа — не выносим одиночества. И коль скоро пить с собственным отражением я устал, а сегодня я как раз намерен выпить (не буду объяснять вам, по какой причине) — вы будете составлять мне компанию. Кажется, виски вам подходит, не так ли?

— Вполне, — кивнула я, еле сдерживаясь, чтобы не расхохотаться. Такого лаконичного и четкого инструктажа я не слышала еще никогда. — Значит, секс вас не интересует?

— Нет, отчего же. Очень даже. Но не сегодня и не с вами. И если вы готовы сдержать обиду за мою такую вот неучтивость, предлагаю вам провести приятный вечер в приятной компании нескольких бутылок. И со мной.

— Прекрасная мысль! — улыбнулась я.

Кажется, я воспринимала все как сон, галлюцинацию, сильно смазанную изрядной долей выпитого за этот день. На фоне моего по-деловому молчащего спутника вся моя жизнь растворялась и отдалялась от меня, словно я жила ею не вчера или сегодня утром, а вообще несколько веков назад. Сейчас я бы с трудом вспомнила лицо моего мужа Алексея. Да что там, даже свое лицо.

Мы поднялись на лифте на самый последний этаж, где на лифтовой площадке размером с мою гостиную была всего одна массивная, явно баснословно дорогая дверь. А там, за ней, почти сразу мне открылся самый сказочный вид из всех, что я когда-либо в жизни видела. Из парадного зала (а иначе не назовешь это огромное пространство) его квартиры, сквозь бескрайние, от пола до потолка окна было видно всю Москву, во всех мельчайших деталях, вместе с пробками и рекламными плакатами.

— Красиво? — спросил Николай.

— Очень!

— Такой аквариум поднимает стоимость этой бетонной коробки больше чем на полмиллиона долларов. Вы считаете, оно того стоит?

— О, да. Впрочем, для меня полмиллиона

долларов — это что-то абстрактное, как ракета «Союз-Аполлон».

— Держите. Располагайтесь, — с улыбкой сказал Николай и нетерпеливо вложил в мою руку рюмку виски.

Я с трудом оторвалась от этого невероятного ночного аквариума и огляделась вокруг.

— А что, закусывать мы не будем?

— Ну... даже не знаю, если хотите, посмотрите, что есть в холодильнике. Но, кажется, там готовой еды нет. Хотя порежьте сыр. — Он плюхнулся в огромное кожаное кресло и прикрыл глаза, и только рука с рюмкой, плавно перемещающаяся к его губам и обратно, говорила, что он не уснул.

Я встрепенулась и огляделась. Интересно знать, и как я должна понять, где тут кухня? И какой все же странный субъект, не правда ли?

ГЛАВА 6,
в которой я «сама напросилась»

29 июня, пятница

Вот есть же на свете люди, умеющие распоряжаться своим временем! Почему, ну почему я не отношусь к таким? Пуркуа?! Почему у меня никогда не хватало времени даже на то, чтобы до конца выполнить все, что я наметила сделать по своим же собственным спискам. Нет, я организованный человек, но со всеми делами все равно не справляюсь. Вечно я мечусь то между обедом и уборкой, то между магазином и школой, а если имею свободную минутку, то либо что-то шью, либо делаю с кем-нибудь уроки. О, эти чертовы бесконечные домашние задания! Иногда мне кажется, что я прохожу программу средней школы во второй и третий (последовательно) раз. А ведь когда-то я уже окончила школу. Причем с золотой медалью, хотя она была скорее данью уважения к моему отцу, чем моей реальной заслугой. Что ж, спасибо большое любимому папочке, все ради него, только сейчас моя золотая медаль, так же как и диплом об окончании Суриковского, пылится в стенном шкафу, на верхней полочке, в коробочке, вместе с остальными документами типа медицинских страховок и свидетельства о браке.

Ха-ха, брака уже практически нет, но зато у меня в коробочке есть свидетельство о нем. Можно достать его оттуда, стряхнуть пыль, засунуть его в рамочку и начать с ним жить вместо Лешки. Да, от него не дождешься доброго слова. Но и от Лешки в этом смысле пользы мало. Зато свидетельство всегда меня выслушает до конца и ни разу не перебьет. Свидетельство не швырнет носки под кровать, да так, чтобы их потом доставать, заползая под кровать почти полностью. Свидетельство не заляпывает стены в ванной пеной для бритья и никогда не забудет закрыть за собой крышку унитаза. Но все же я хотела Лешку. А у него была «Н.».

Почему все пошло прахом? Может, это просто кризис среднего возраста, будь он неладен? Может, у женщины вообще нет никаких шансов сохранить любовь? В конце концов, у всего есть свой срок годности. Например, даже самая лучшая моя стиральная машина не проработала больше семи лет. Чего только туда не сыпешь, чтобы ее сберечь, но она, паскуда, все равно ломается. И надо заменять ее на новую. Может, и меня Алексей заменяет на новую модель? С функцией «Bluetooth». Да, я не совсем современная, но зато многое умею и, главное, люблю наш дом, его люблю. Почему же это больше ничего не значит?

Я лежала в квартире Николая на необъятном кожаном диване, прямо в одежде и, кажется, даже не скинув с ног босоножки, и думала о своей жизни. Так ученый обдумывает данные, полученные в результате эксперимента над белыми мышами. В первую минуту, когда я только открыла глаза, я испытала короткий приступ паники, потому что не поняла, где нахожусь. Москва, сиявшая вчерашней ночью наподобие новогодней гирлянды, сменила цвета и расстелила перед моим похмельным взором бескрайнее голубое безоблачное небо. Солнце так бесцеремонно залило весь зал, что на минуту мне показалось, что я проснулась вообще на улице. Но нет, я валялась, как уже сказала, в одежде на кожаном кресле. Кругом была тишина и куча пустых бутылок. Было плохо.

«Да, мать. И как ты докатилась до жизни такой?» — было впору спросить у самой себя. А докатилась я по уже известной и протоптанной дорожке под названием «алкогольное невоздержание». И Николай мне в этом всячески помогал.

— Ну, за знакомство! Как, вы сказали, вас зовут? — «любезно» поинтересовался он еще раз (и не последний за этот вечер), пока я пыталась сварганить жюльен из белых грибов, которые обнаружила в его холодильнике.

Николай пришел вслед за мной в кухню, которая оказалась довольно-таки далеко от зала-аквариума, в другой стороне этой совершенно бескрайней квартиры. И выходила она уже на другую сторону дома, впрочем, с не менее сумасшедшим видом. В обеих руках у Николая были рюмки.

— Вы уже спрашивали. — Я сделала вид, что обиделась, но Николай это проигнорировал.

— Так как?

— Я — Юля. А у вас в холодильнике полно прекрасных продуктов. Что вы их не используете? Они же испортятся. Вот грибы чуть было не...

— Люля. Прекрасно, — кивнул он. — Но зачем тут этот кулинарный поединок?

— Ну, нам же нужна закуска! — улыбнулась я.

— Закуска — это соленые орешки, — по-отечески кивнул он. — Впрочем, продолжайте, только не забывайте выпивать. Я не намерен тут пьянеть быстрее вас. И не подозревал, что у меня в доме есть грибы.

— Еда — это мое хобби, — пояснила я, опрокидывая рюмку. — И, кстати, я уже выпила достаточно много. Может, мне хватит?

— Да? — удивился он. — Нет уж, пейте. И ладно уж, рассказывайте мне свою душевную драму, а то мне скучно. Вы, как я понимаю, замужем?

— Даже не знаю теперь. Я вообще-то домохозяйка. И мой муж, кажется, считает меня ничтожеством, так что...

— Спасибо, достаточно, — недовольно пробормотал он. — Как все банально. Вы сидите на шее у мужа, а у него появилась другая, и вам это почему-то не нравится. А что тут такого, все мужики так устроены. Это нормально, по-моему!

— Вы считаете? Но ведь я сижу с его же детьми и работать просто не могу.

— Это ваша проблема, что вы позволили это с собой сделать, — отмахнулся Николай. — О, а вот это вкусно. Это что, жюльен? Из тех самых моих грибов?

— Приятного аппетита, — злобно фыркнула я.

— Черт, как вкусно! Дайте еще.

— Да нате, пожалуйста. — Я пожала плечами и выставила перед ним еще три кокотницы. Его суперсовременная кухня была доверху набита разного рода посудой, которой, видимо, никто ни разу не пользовался. И вообще, в квартире стояло запустение и везде, повсюду на явно дорогих вещах клубилась пыль.

— Отлично. И что вы еще умеете? Есть еще какие-то блюда, которые вы вот так делаете? Кажется, ваш муж пожалеет, если от вас уйдет. По крайней мере, есть он любит?

— Сейчас много ресторанов, — заметила я. — А я много чего могу. Готовить, в смысле. Я даже от скуки когда-то освоила французскую кухню.

— Какая-то вы неправильная домохозяйка. Французская кухня, салфетки, вилки-ножи. А вы знаете, что все это вообще-то денег стоит?

— Что? — не поняла я.

— А вот это. Свернутые салфетки, ужин при

112 свечах. Жюльен вот этот, — заметил мне Николай и снова (вот черт!) сунул мне в руки рюмку.

— Слушайте, если я буду так частить, мне станет плохо, — заволновалась я.

— Вам и сейчас плохо, так что без разницы. Пейте. И я выпью. И рассказывайте.

— Ну, мой Алексей считает, что я ничего не делаю, а просто сижу дома и в потолок плюю, — пожаловалась я. Мне было совершенно нетрудно и нестыдно все это говорить. Кажется, это называется «эффект случайного попутчика».

— И он прав! — рассмеялся Николай. — Потому что вы же — его жена. Вот если бы он вам за это платил, он бы думал совсем по-другому.

— Наверное, вы правы, — грустно согласилась я, вспомнив, с каким видом Алексей ежемесячно выдавал мне деньги на жизнь. «Куда ты только тратишь такую кучу денег?». «Сколько можно, ты должна уже научиться экономить». И наконец: «Ты же не думаешь, что я их просто печатаю?»

— В общем, моя дорогая Люля, следует признать, что вы сами во всем виноваты, — подвел итог Николай.

Так мы и просидели почти весь вечер на его огромной пустой кухне. Я что-то там жарила-варила, попутно выливая на него всю свою разнесчастную жизнь, а он мешался под ногами, вытаскивал из холодильника какие-то запасы красной икры и анчоусов, а также смеялся надо мной и говорил, что я ничего не понимаю в мужской душе. Последнее из «адекватного», что я помню, — это мой слезливый рассказ о том, как я мечтаю жить в большом белом доме у моря и чтобы чайки летали бы в таком количестве, чтоб загадили весь подоконник, а шум морских волн не давал бы мне по ночам спать.

Николай отвечал мне, что все это — женские бредни, такие же несбыточные, как и мечты о настоящей большой любви. Потому что для настоящего мужчины есть два вида любви: половая и... половая. И та, и другая подразумевает секс, только первая — это просто секс, а вторая — это секс многократный, который женщины именуют «отношениями». И мы с ним с жаром спорили, пьяно стуча кулаками по изящному дорогому столу. Я доказывала, что есть на свете любовь, а он говорил, что да, любовь — это одна из форм секса, причем не самая легкая. А мужчинам секс нужен сам по себе, и зачастую безо всякой любви.

— Ты пойми, дура, я просто хочу сказать, что не надо тебе так дергаться. Подумаешь, мужик налево ходит! Ерунда! Это, скорее всего, просто секс. От таких, как ты, не уходят. А ты правда умеешь делать бургильоны? Я пробовал их во Франции и знаю, о чем речь.

— Правда умею, но не надо. Не успокаивай меня, — пьяно возражала я. — Он ее любит, потому что она молодая и деловая. А я только и умею, что готовить и убирать!

— Да ты просто не представляешь, как это в наше время много, если ты умеешь готовить и убирать, как ты, — горячился Николай.

Далее мы, кажется, ходили вместе с ним за новой партией виски, потому что ему не хватило. То есть мне-то уже точно хватило, и с избытком, но Николай сказал, что в его планах сегодня было «безобразно напиться», а для этого мы просто обязаны сходить за догоном. Это просто входит в сегодняшнюю культурную программу. И мы пошли. Кажется, я чуть не упала на лестнице, и он меня вел под руки, издавая странные звуки, похожие на паровозный гудок.

— Что ты делаешь? — покачиваясь, спросила я.

— Мы с тобой паровоз. Я — локомотив, — после некоторого раздумья ответил он.

Дальше я не помню ничего, кроме огромного голубого неба, висящего напротив меня по ту сторону окна-аквариума. И слепящего солнца, бесцеремонно заполнившего всю комнату. Я была одна, Николая не было нигде. И под солнечным светом стало ясно, что я нахожусь в великолепной, просто восхитительной, просторной, но очень запущенной, похожей на помойку комнате.

— Какой кошмар, — пробормотала я, поправляя на себе смятое платье. По полу валялись пустые бутылки из-под виски и еще почему-то из-под пива. — А вы откуда? Вас не помню!

«Мы были после отключения мозга», — ответили (или мне показалось?) бутылки. Я в ужасе покачала головой и поплелась в ванную, где долго лила холодную воду на ладони и смотрела, как она стекает по моим пальцам вниз. Я представила, как вода спускается по трубам к реке и утекает дальше, дальше, дальше — к океану, а потом становится дождем. Я прикоснулась ледяными руками к лицу и застонала от мучительного удовольствия. Плюньте в лицо тем, кто говорит, что пьянство не может решить вашей проблемы. Я тоже так думала, наивная, но, как и обещал Николай, мы безобразно напились, и теперь, хоть меня и шатало, а желудок, по-моему, сжался в кулак, мне все-таки стало намного легче. Голова не думала вообще. И это было прекрасно, просто прекрасно.

Я вернулась в комнату и какое-то время постояла перед лежащим далеко внизу городом. Раньше мне казалось, что вот эта самая жизнь, под крышей какого-то дорогого дома, в бесконечной квартире с прозрачными окнами — все это выдумка сценаристов, пишущих бесконечные анестезирующие сериалы. Мне думалось, что нет на самом деле человека, который бы этой самой жизнью жил. Но Николай, кажется, был именно из таких, и он жил этой самой прекрасной жизнью в прекрасном доме.

Один вопрос: почему, если все так здорово, он пьет с незнакомыми женщинами, с которыми даже не собирается спать?

— Даже не знаю, — пожала плечами я.

Все равно это было просто здорово, что я встретила его, потому что теперь, несмотря на похмелье (как странно, что оно у меня, а не у Лешки), я совершенно точно знала, чего хочу. Я хочу посмотреть на НЕЕ. Я хочу удостовериться, что все именно так, как я думаю. Что она молода и красива и что Лешка смотрит на нее так, как когда-то смотрел на меня. Или нет. Я просто хочу знать все до конца, все, чтобы между нами больше не было недомолвок и лжи. Пусть он поймет, что я все знаю, и пусть я тоже все пойму. А потом... Мне кажется, я давно живу в мире, где все ингредиенты уже не аналогичны натуральным. И раз так, пора с этим кончать.

Я собрала с пола все бутылки и выбросила в мусоропровод. Потом посмотрела на часы, но было еще только десять, и в сторону Таганки выдвигаться было еще рано. Я пошарила по комнате, нашла и включила свой мобильник, чтобы позвонить Машке. Надо было все-таки сказать, что со мной все в порядке, они, наверное, все дико переволновались. Нет, я пыталась. Когда Алексей мне все-таки позвонил (часов в одиннадцать вечера), я даже собиралась ответить на звонок, но мне не дал Николай.

— Это испортит всю атмосферу. Не надо нам тут твоего мужа, даже виртуально, — заявил он, вырвал у меня из рук телефон, выключил его и унес из кухни, а я была уже не в том состоянии, чтобы возражать.

Так что теперь я приготовилась выслушать от Машки целую тираду в свой адрес.

— Ты с ума сошла, где ты была?! Мы уже чуть ли не в милицию собрались! — с места в карьер наорала она на меня.

Я молча выслушала ее и задала только один вопрос:

— Он звонил?

— Да! Ночью. Представляешь, как я напряглась! Я же ничего не знаю, где ты, что ты! — моментально закипела она.

— Так что ты ему сказала? — У меня не было сил успокаивать ее.

— Скажи спасибо, что у тебя такая мудрая и сообразительная подруга. Я сказала ему, что ты осталась у меня ночевать и уже спишь.

118 Что ты просто перебрала и уже не дойдешь до дома.

— А он?

— Помолчал, а потом сказал, что завтра, ну то есть уже сегодня, отвезет детей к твоей маме.

— Отлично.

— Что ты решила? Ты вообще где?

— Я приеду на Таганку, к двум часам, — ответила я. — А все остальное совершенно неважно.

— Ну-ну, — обиделась на мою скрытность Машка.

Я повесила трубку. Итак, Лешка предпочел не раздувать скандал. Какой хороший мальчик, сколько такта, понимания. Откуда что берется? В сердце кольнуло: неужели же я сегодня действительно увижу его с другой?

— Еще ничего не известно, — ответила я самой себе и, чтобы не думать ни о чем и не тратить время попусту, раздобыла в Николаевой ванной швабру и метелку. Она, метелка, тоже оказалась непростая, не наша, человеческая, а фирменная, с какими-то кнопками и насадками, настоящий электровеник. — Вот ведь ерунда какая, — ворчала я, прилаживаясь к этому чуду техники. Мне не хотелось ее включать, чтобы шумом не разбудить Николая. Ведь, скорее всего, он где-то тут спит, хоть я и не вижу где.

Квартира оказалось двухуровневой, так что он мог находиться где угодно, а мешать ему мне не хотелось.

Я подмела и помыла коридор, кухню и гостиную, а заодно протерла везде пыль, которую по жизни терпеть не могу. Если бы вы знали, какая это головная боль — любить чистоту! Я бы многое дала, чтобы быть неряхой. Ах, если бы я была как Любка или Машка! Их дети могли вверх дном перевернуть весь дом, пыль могла покрыть все, включая тарелки и чашки, но они даже не чухнались. Я же была психичкой, воспитанной такой же помешанной на чистоте мамой. И пыль на дорогой картине или огромной плазменной панели оставить просто не могла. Я поправила ковер в зале, вернула кресла на их привычные места, поставила на журнальный столик вазочку с найденными в кухне орешками. Я убралась на кухне, перемыла грязную посуду, включая ту, что была навалена в раковине горой еще до моего триумфального появления в этой квартире. И наконец, наскоро сделала для Николая пару сандвичей, чтобы ему не надо было думать, чем завтракать. У него в холодильнике нашлись яйца, хлеб и несколько салатных листьев. Ничего более мудреного, чем сандвич, из этого не состряпаешь, но... не в ресторане, так что не захочет — выбросит. Апельсиновый сок он выпьет точно, с похмелья и не за такое схватишься, а кофе, который я ему (и заодно себе) сварила в турке, пусть выливает, если он окажется остывшим. В общем, я по привычке совершала все те же самые рутинные действия, которые за столько лет привыкла совершать каждое утро. Привычка — вторая натура, но кто бы мог подумать, что вся эта кулинарно-уборочная активность, которую я развила тогда, может так сильно повлиять на мою дальнейшую жизнь. Видимо, и в самом деле не дано нам полностью понять, из каких вопросов состоит кроссворд нашей судьбы. Я постелила салфетку, поставила на нее сандвичи, рядом положила свернутого из бумажной салфетки лебедя, вилку с ножом и стакан с соком. Кофе я оставила рядом, прямо в турке, прикрыв картонной подставкой для стаканов, чтобы он не слишком быстро остывал. И как последний штрих, наугад, не зная, с чем Николай пьет кофе, я поставила на стол рядом с сахарницей маленький фарфоровый молочничек с молоком. Вдруг он любит кофе с молоком?

— Так, вроде все. — Я с удовольствием оглядела чистую красивую кухню.

Когда вокруг меня порядок, то и в голове все как-то укладывается в стройную схему. Я оторвала от своего блокнотика со списками один листок, написала Николаю благодарственную записку за прекрасный (хоть и пьяный) вечер и подложила под стакан с соком. Теперь надо было аккуратно выйти и исчезнуть из этой квартиры, из этого прекрасного дома и из этого странного вечера, в реальность которого я перестала верить, стоило мне только оказаться на залитых светом московских улицах.

Менее чем через час я уже ждала на «Таганской-кольцевой» девчонок и волновалась, действительно ли увижу в ресторане своего мужа.

— Ты как? — с пристрастием осмотрела меня Любка. — Ну ты даешь. Так пропасть!

— Я в полном порядке.

— Ты что, пила? — принюхалась Машка.

— Ага. И ела, — зло отмахнулась я. — Какая разница, что я делала. Вопрос в том, что он там делает.

— Ты готова? — нахмурилась она.

— Разве можно быть к этому готовой? — удивилась я и вдруг почувствовала ужас.

Может быть, действительно не стоит ходить? Что это за бред — я пытаюсь выследить собственного мужа. Я вычислила, где он будет с любовницей, и теперь иду, чтобы поймать его на месте преступления. Это все похоже на дешевый водевиль, оперетку, мюзикл. На что угодно, только не на реальную жизнь. Но расстояние от метро до ресторана было очень маленьким, минут пять, не больше. И вот я стою перед дверью,

122 а за ней уже улыбается девушка, одетая в восточный костюм. Я была в этом ресторане очень давно. С некоторых пор муж перестал водить меня в рестораны. Он говорил, что я готовлю лучше, чем повара в этих «забегаловках», и мне было приятно. Я старалась сделать дома праздник из любого ужина. Может быть, я перебрала, а надо было жарить ему готовые котлеты из коробок? Может, тогда бы он не охладел ко мне? Надо было, как все современные мамаши, бегать на какую-нибудь работу, а вечером просто варить пельмени и говорить, что я очень устала. Может быть, тогда он бы смог меня уважать?

— А если его там нет? — хваталась за соломинку я.

— Да там он, — мрачно заверила меня Любка и кивнула в припаркованный чуть поодаль «Мицубиси».

Да, это была Лешкина машина, но мое сознание все еще отказывалось верить в происходящее. Я подумала, как зайду туда, а он там окажется один. И вот он увидит меня. У него будет крайне удивленное выражение лица. «Что ты тут делаешь?» — спросит он, и я примусь на ходу что-нибудь такое изобретать про магазин, в который заезжала...

— Вы будете заходить? — спросила меня девушка в костюме, выглянув за стеклянную дверь.

— Да. Буду, — кивнула я и прошла внутрь.

Дальше все было очень быстро, как будто я попала в бурный поток, который сам меня принес туда, куда я так хотела и так боялась попасть. Я даже знала, за каким столиком мой муж здесь обычно любит сидеть. Мужчина может поменять женщину, но обязательно постарается сесть за свой старый любимый столик, в уголке, на диванчике.

— Вас ожидают? — спросила меня официантка.

Я кивнула и прошла мимо нее безо всяких задержек. Через несколько секунд через решетчатую стенку, отделявшую одни столики от других, я уже могла видеть Алешкину голову. Он сидел спиной ко мне, его волосы, чуть тронутые сединой, непослушные, я узнала бы из тысячи, рядом с ним вполоборота ко мне сидела ОНА. Ей было на вид лет двадцать пять. Совсем короткая, почти мужская стрижка (а что, практично, причесываться можно пальцами), деловой пиджачок с короткими рукавами. Она громко смеялась, а Алексей что-то рассказывал ей, размахивая руками. Я застыла, боясь только того, что кто-то из персонала остановится и спросит у меня, что я здесь забыла, но никому не было до меня никакого дела. ОНА пила кофе и была так близко, что я даже могла разглядеть ее маникюр — красно-кровавого цвета. Такой я бы никогда не сделала — слишком ярко. Она ничуть не смущалась и была действительно мила. У нее было подвижное, выразительное лицо с острым подбородком, а когда она смеялась, были видны все зубы. Я уже подумала, что видела достаточно и надо отползать, пока меня не обнаружили, но тут... Алексей отбросил салфетку и, как по заказу, чтобы уж у меня не осталось никаких сомнений, притянул эту смешливую акулу к себе и поцеловал ее так, что спутать это уже было ни с чем нельзя. Его руки обхватили ее деловой пиджак и жадно шарили у нее за спиной, а она изогнулась и тихонько застонала. Кажется, в этот момент я скривилась и ахнула так громко, что они оба услышали и обернулись.

— Юля?

— Леша? — на автопилоте переспросила я. — Приятного аппетита. И вам тоже. И, кстати, ты нас не представишь? Ладно, я представлюсь сама — я Юля, жена Алексея. А вы, видимо, Ника?

— Юля, что ты тут делаешь? — глупо поинтересовался Лешка.

— Гораздо важнее узнать, что это ты тут такое делаешь, — зло прищурилась я. — Хотя все и так понятно, поэтому будет лучше, если ты узнаешь, что я обо всем этом думаю. А думаю я, что раз уж у вас все так здорово, то мне ты не нужен. Уходи. Убирайся, я больше никогда не *125* хочу тебя видеть!

— Что? — раскрыл рот от изумления он.

Меня наполнил горький вкус никому не нужной победы. Лешка вскочил. Глядя мне в глаза, он то бледнел, то краснел и то открывал, то закрывал рот, не зная, что сказать. Я уже приготовилась повернуться и уйти, как вдруг... случилось то, чего уж точно случиться не должно было. Алексей, багровый от ярости, подошел ко мне вплотную и тихо, но очень четко произнес:

— Ну уж нет. Если хочешь знать, я ни в чем не виноват. Это для мужчин совершенно нормально. Но раз ты такая дура, что приперлась сюда, то сама и выпутывайся. Хочешь уходить — уходи сама, куда пожелаешь. Только не думай, что я соберу чемоданы и оставлю тебя жить на мои деньги с моими детьми. Дети останутся со мной, если только ты действительно всего этого хочешь.

— Что?! — Мне показалось, что я разучилась дышать.

— Что слышала. Ты сама напросилась. Надо было быть умнее. Смири свой пыл и подумай — кто ты без меня? Ты же домохозяйка, так что поезжай, остынь, и увидимся дома. Так, будто ничего не произошло. Ладно? Мы же столько лет вместе, я совершенно не собирался тебя бросать...

— Что? — вмешалась коротко стриженная Ника. На ее лице читалась обида.

— Не вмешивайся! — рявкнул на нее Алексей совсем как на меня.

Я усмехнулась.

— Ты не собирался меня бросать? Вот благодетель. Увидимся дома, как будто ничего не случилось? Да ты просто ангел! Я так и сделаю, а потом буду ходить всю жизнь, утираться твоей щедростью. А знаешь, я, пожалуй, перебьюсь. Нет, спасибо.

— Перестань! — побледнел он.

— Да, перебьюсь. А это тебе от меня на память! — Моя рука сама собой взлетела и, как ракета ближнего боя, со всей возможной (очень скромной на самом деле) силой опустилась на чуть небритую щеку супруга. От неожиданности он даже хрюкнул и весь дернулся в сторону. Раздался громкий хлопок, на шум прибежали официанты, началась дурацкая суета. Ника (сучка такая) хватала моего мужа за руки и что-то ему там пыталась втолковать, он выкрикивал мне вслед какие-то гадости и угрозы, главным образом несущие в себе одну мысль — что я еще пожалею. А я содрала с руки обручальное кольцо, бросила его на пол и просто пошла к выходу, опустив голову и стараясь не столкнуться ни с кем глазами. Я просто ушла.

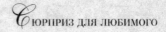

ГЛАВА 7,

в которой я спотыкаюсь о карьерную лестницу

> **4 июля, среда**
> *Надо что-то делать!!!*
> *Перестать грызть ногти*
> *Купить молока*
> *Резюме*

Известное дело, что в состоянии аффекта люди могут совершать самые разные и подчас совершенно необъяснимые поступки. Кто-то от страха за секунду вскарабкивается на вершину совершенно гладкого бетонного столба. Кто-то голыми руками поднимает наехавшую на ногу машину, а кому-то приходит в голову странная мысль обвинить в своей измене собственную жену. Что ж, в такие минуты люди могут не понимать, что творят. Не стану, конечно, утверждать, что мне не было больно слышать: «Ты сама во всем виновата». Нет, сердечко екнуло, ручки затряслись, но... самым главным в монологе моего мужа было не это. Не это заставило меня убежать из ресторана без оглядки, не это отбило у меня всякое желание внимать голосу разума, не это отправило меня в дом к родителям, где я вот уже несколько дней сидела, отказываясь выходить на какие-либо переговоры. Одна фраза. Вот эта: «Да куда ты от меня денешься, ты же домохозяйка!» Муж сказал ее с таким брезгливым презрением, что я сначала остолбенела, а затем... убежала.

Через пару часов хождения по городу в состоянии прострации (сказывался и вчерашний вечер, проведенный в сплошном алкогольном невоздержании) я поехала в родительский дом, на Алексеевскую. Мне нужно было время подумать обо всем как следует. Хотя... в тот день я, конечно же, думать вообще ни о чем не могла, кроме того, как вообще могло со мной все это случиться.

— Доченька, что случилось? — спросила меня мама после того, как я съела положенное количество пирожков с капустой и яблочным джемом и выпила большую чашку какао. Мамочка считает, что на голодный желудок даже страдать — и то неправильно, и я, кстати, вполне с ней согласна. Потому что рыдать в подушку, сотрясая плечи, на сытый желудок гораздо приятнее.

— Он мне изменил! — дожевывая пирожок, пожаловалась я.

Вот все на свете я могу приготовить, и даже лучше, чем мама, но не эти вот куски печеного теста. Правильно говорят, что умение печь пироги — это как талант: у кого-то он есть от природы, а кому-то не светит, сколько ни учись. Впрочем, у меня неплохие пироги. Просто у мамы они вообще фантастические. Надо, кстати, все-таки переписать точный рецепт.

— Да кто? — хором удивились мама с папой. Их вопрос поставил меня в тупик и даже несколько разозлил.

— А что, есть варианты? Дед Мороз! Со Снегурочкой! У меня, кажется, за последние двенадцать лет только один муж.

— Алексей? — нахмурился папа и приложил руку к карману на рубашке.

Я замотала головой.

— Папочка, миленький, это все не так страшно, чтобы ты переживал. Мне просто надо побыть тут у вас, подумать, взвесить все. Это же не конец света, так что выпей сразу чего-нибудь успокоительного и не вздумай волноваться. Тебе это вредно.

— Так что произошло? — переспросила мама, уже накапывая папе в рюмочку. И нам тоже, только не валидола, а коньячку. При виде коньяка мне моментально поплохело.

— Нет-нет, я не буду. Я больше не могу...

— В каком смысле? — удивилась мама, сливая коньяк обратно.

— Нет, ну ты-то выпей, — заметила я.

— Ладно, выкладывай, — потребовала она.

Я, как говорится, не заставила просить себя

дважды. Понятное дело, история у меня вышла банальная, да еще эта дурацкая слежка в ресторане. Но, как и меня, маму с папой (особенно маму) больше всего потрясли эти вот «куда ты денешься».

— Вот ведь негодяй! Ты же ради него оставила карьеру! — громогласно возмущался мой миролюбивый папа. — У тебя же был какой-никакой талант в живописи.

— Папа, когда ты говоришь «какой-никакой», даже я сама понимаю, что он был «никакой».

— Неправда! Ты до сих пор рисуешь чудные акварели, — аккуратно возразил он, но я была объективна. Такие акварели, если разобраться, любой студент любого художественного училища мог нарисовать. А мне надо было срочно найти что-то, что я умею делать, кроме мытья полов и приготовления пирогов. Что-то, чем бы я смогла ответить (хотя бы в душе) на мужнее «куда ты денешься». Потому что не знаю, как там насчет любви, а самолюбие мое он задел очень сильно, это точно. Даже не задел, а практически ранил. Почти смертельно. И ведь, если вдуматься, все могло пройти по-другому. Ведь бывает же так, что муж дорожит своей женой, и, когда она ловит его на месте преступления, он встает перед ней на колени, просит прощения, говорит, что всю жизнь любил только ее... Бывает? Да наверняка! Правда, я не встречала таких историй.

За все выходные, что я просидела в папином кабинете, уклоняясь от разговоров с мужем, я раскопала в Интернете бессчетное количество историй, сходных в общих чертах с моей, и ни в одной муж ноги жене не целовал. И все же, чтобы вот так, прилюдно заявить (прямо при любовнице, заметьте!), что я ни на что не гожусь... Мне вдруг страстно захотелось немедленно доказать Лешке, как он ошибался. И именно поэтому я отказывалась с ним говорить, хотя он уже оборвал все телефоны в квартире моих родителей. Однако мама стояла насмерть, презрительно отвечая, что я не имею желания с ним контактировать. Да-да, она так и говорила ему — контактировать, а он в ярости плевался и кричал, что так, как я делаю, никто не делает. И что мне еще повезло, что он такой хороший, не хочет раздувать скандала.

— Оставь же ты ее пока в покое, ей же надо успокоиться, подумать. Ты ее оскорбил, разве ты этого не понимаешь?! — в сердцах высказался папа, когда к вечеру воскресенья Лешкины звонки уже надорвали психику всем. Кажется, что именно в папином, весьма, надо сказать, интеллигентном исполнении эти слова наконец дошли до Лешкиного сознания, и он затих. Папа выслушал его, потом положил трубку и сказал:

— Он ждет твоего звонка. Когда ты будешь готова.

— Интересно только зачем, — пожала я плечами и представила себе, как все это будет развиваться дальше.

Назавтра в очередном кафе девчонки принесут мне свои соболезнования, а потом Машка, наша активистка, скажет:

— Сопли соплями, а хорошего мужика сейчас днем с огнем не найти.

— Поломайся как следует и возвращайся. Пусть подарит тебе что-нибудь. Пусть, я не знаю, машину тебе поменяет, — кивнет Любка.

— Только не перегни палку, — предупредит Каринка.

Еще через какое-то время мама тактично, но твердо даст мне понять, что время для законной гордости и обиды прошло и мне надо возвращаться в свой дом и в свою жизнь, а ей надо заниматься восстановлением подорванного здоровья папочки (и тут я не стану возражать, ибо это очень, очень важно). А Алексей принесет мне извинения, подарит, может быть, колечко (но машину не поменяет, это точно) и, понимая, что деваться-то мне все равно некуда, молчаливо даст понять, чтоб больше никогда я не устраивала этого цирка со слежкой, а то иначе... А что, собственно, иначе? Развод? Он меня оставит без тех самых пресловутых средств к существованию? А на хрена мне нужно такое существование?! Какая проза жизни — мне надо вернуться к мужу, чтобы не голодать. И это справедливо? Интересно, а ведь действительно получается, что от этого самого развода я пострадаю гораздо больше его. Что у меня есть? Ржавая «восьмерка», двое детей и умение пользоваться Интернетом, где я в основном скачиваю интересные рецепты и читаю новости и анекдоты? Значит, я до конца своих дней буду терпеть все выкрутасы Алексея, втайне ненавидя его за это самое мое терпение.

— Ну уж нет. Только не это! — сжала я зубы. — Если я все так и оставлю, я сама стану себя презирать. Значит, начинаем новую жизнь?

В раздумьях я просидела в папином кресле до самой среды. В среду я впервые за все дни заставила себя с утра умыться, почистить зубы (да-да, я даже этого не делала, наслаждалась ощущением собственного безобразия) и написать список. Список — это уже начало, и оно далось мне с большим трудом. Думать о том, что надо делать, — это, согласитесь, всегда легче, чем реально начать заниматься. Я даже не совсем понимала, с чего мне надо начинать. С подведения итогов? Если так, то они неутешительные. Мне негде жить, я никогда нигде не работала, у меня даже нет трудовой книжки. Я не представляю, какая сейчас зарплата у обычных людей, и не уверена, что диплом об окончании факультета живописи Суриковского института, выданный мне еще до замужества, чем-то может помочь. Когда-то у меня были большие планы и радужные мечты, и мне тоже казалось, что я могу чего-нибудь добиться. Но сейчас? И все же надо пробовать, надо пытаться.

В Интернете я нашла сайт, предлагавший мне для обретения заветной РАБОТЫ разместить свое резюме.

— Резюме? — задумчиво грызла я карандаш.

По большинству пунктов лежащего передо мной документа я должна была поставить прочерк. Опыт работы? Минус. Знание компьютера? Плюс-минус, потому что я не умею пользоваться какими-то спецпрограммами, а печатаю двумя пальцами. Язык? Ну, хоть тут плюс, хотя тоже неполный, потому что я говорить-то говорю, а вот писать на английском... Так, смотрим дальше:

Рекомендации?

Нет.

Образование — есть, но не то, что нужно.

Дополнительное образование — полное отсутствие.

Желаемая зарплата?

Вот тут-то меня и ждал самый большой сюрприз, потому что при полном отсутствии каких бы то ни было деловых качеств моя потенциальная зарплата вряд ли могла превысить долларов семьсот. Я сидела с высунутым языком, перебирая вакансии менеджеров и секретарей, которых на фоне кризиса было, в общем-то, не так и много, и думала о том, смогу ли вообще прожить на семьсот долларов, не имея жилья и иных источников дохода? Ответ очевидный — ни хренца! И все-таки я составила резюме (с грехом пополам напридумав себе опыта и рекомендаций) на должность секретаря и без всякого энтузиазма отправила его на сайт. И сняла мобильник с бесшумного режима (на который я перешла, чтобы не реагировать на бесконечные Алексеевы звонки). Теперь я ждала звонков от потенциальных работодателей (а вдруг они прямо сейчас мечутся в поисках секретаря и не могли до меня дозвониться?).

— Алло? — скажу я им своим бархатным голосом, и они решат отдать мне рабочее место только за то, что я так хорошо говорю.

— Приступайте завтра же! — скажут мне они, и я...

Представляю себе лицо мужа, который узнает, что я, вместо того чтобы приползти к нему на коленях, нашла себе работу и теперь вообще от него не завишу.

Тр-р-р-р-р-р! — зазвонил вдруг мой телефон.

Я даже не сразу поняла, что он звонит в реальности, потому что схватила трубку, не посмотрев на дисплей.

— Алло, — мурлыкнула я, все еще воображая, что это и в самом деле работодатель, который набрал мой номер через пять минут после размещения резюме. Наивная чукотская девушка, как я ошибалась!

— Юлька? Только не надо бросать трубку, слышишь? — торопливо прокричал мне в ухо Алексей.

— Что? — не сразу сориентировалась я.

— Слушай, хватит дурить. Возвращайся. Можешь считать, что я уже все понял и все осознал, — выложил он как на духу, стараясь успеть до того, как я начну визжать.

Он закончил, а я, соответственно, начала визжать.

— Ты считаешь, что я тут просто в игры играю?!

— Только не надо мне рассказывать, что ты хочешь развода, — безапелляционно заявил он. — Имей в виду, мое терпение не безгранично.

— Это ты так просишь прощения? — усмехнулась я.

— Называй это как хочешь. Все, Юль, хватит. Побегали, и хорош, приезжай. Хочешь, можешь пойти и потратить кучу моих денег, чтобы как-то мне отомстить, и забудем все. Идет?

— Я тебя ненавижу, — четко по слогам произнесла я и отключила связь.

Самое противное было то, что Лешка был совершенно прав, считая, что мне некуда деваться.
Но почему надо так жестоко тыкать меня в это
носом, ведь я не щенок, наложивший кучу.

Господи, сделай так, чтобы Лешка все-таки
что-нибудь понял. Пошли мне какой-нибудь
знак, возвращаться мне к нему или нет. Я ведь
никогда и ничего у тебя не просила для себя.
Только сейчас, один-единственный раз помоги
мне, боже, я не знаю, что мне делать.

Тр-р-р-р-р-р-р! — снова зазвонил телефон.

Номер не определился, но я и так понимала,
что это Алесей. Он никогда и ни от чего не от-
ступал. Если он чего-то хотел и считал это своим, он это получал обязательно. Когда-то его
намерение жениться на профессорской дочке
вызвало шок у всех, кроме него. И что? Каков
результат? Я в слезах, а он в шоколаде. И все,
скорее всего, будет именно так, как захочет он.
Где справедливость?

— Алле! Ну что тебе? Я не хочу с тобой говорить, ты мне противен! Сволочь! — крикнула
я, даже не надеясь, что он внемлет моим крикам.
Но пусть ему хотя бы будет больно.

На том конце провода настороженно молча-

138 ли. Потом совершенно незнакомым голосом переспросили:

— Вы уверены, что говорите это мне?

— А вы кто? — опешила я и смутилась.

— А вы кому говорите такие «приятные» вещи? — ехидно поинтересовался голос, смутно показавшийся мне знакомым.

Хотя нет, не признаю. Не знаю, кто это.

— Мужу, — откровенно призналась я.

— Так ведь можно и без мужа остаться, — предупредил меня голос.

— А я, может быть, этого и хочу, — фыркнула я.

— Здорово, — восхитился он. — А вы в курсе, что сегодня День независимости?

— Что? — совсем уж ничего не поняла я.

— День американской независимости. Четвертое июля. Очень большой праздник, в этот день в США была подписана Декларация независимости, — сказал голос, и в его тоне прозвучало легкое возмущение моей безграмотностью.

— А мне плевать. Я-то тут сижу, в России, — обиделась я. Неизвестно кто, а туда же. Учит меня, как жить.

— Между прочим, я тогда утром вообще подумал, что меня обокрали, — заявил вдруг голос, чем окончательно загнал меня в тупик.

— Что?..

— Выхожу, а дома никого. И ничего нигде не лежит. Даже пыль! Хорошо хоть я ваш телефон записал, а то так вообще не нашел бы. Вот это был бы смех. Меня — и обокрали.

— Вы кто? — окончательно озверела я.

— Я — Николай, — наконец признался голос, и я, хоть и не сразу, вспомнила свое странное ночное приключение в аквариуме под какой-то элитной крышей.

Но...

— Но я не давала вам мой телефон! — вспомнила я. — Я вообще уехала, так и не дождавшись вас, потому что вы спали.

— И вы всерьез считаете, что я оставил бы вас у себя дома, не узнав хотя бы вашего номера? Еще когда мы только приехали, я с вашего миленького аппаратика перезвонил на свой. И, кстати, сфотографировал ваш паспорт, он у вас в сумочке, в боковом кармане. Кажется, коричневая обложка из какой-то грубой подделки под кожу. Так что, госпожа Светлакова?..

— Что? — захлебнулась я от возмущения. — И вы так спокойно об этом говорите?

— А чего мне беспокоиться? — удивился Николай. — Это просто вопросы безопасности. В конце концов, я подобрал вас на улице, так что это не должно вас удивлять.

— Хорошо, — вскочила я с дивана. — Меня уже ничего не удивляет. И чего вы хотите?

-- Двух вещей, — спокойно продолжил он. Все-таки, кажется, он еще более самоуверенный тип, чем мой муж. — Поблагодарить вас за уборку и сандвич — он был очень вкусный. Кстати, откуда вы знаете, что я пью с утра апельсиновый сок?

— Ниоткуда я это не узнала. Просто нашла апельсины, и все.

— Понятно. Все равно спасибо. И за лебедя — очень красиво, хоть и бессмысленно. А второй вопрос — он связан непосредственно с Днем независимости.

— Вы псих? — на всякий случай уточнила я.

— Даже если я и псих, мне никто не посмеет поставить такой диагноз официально, я вас уверяю. Так вот, я решил, что нам надо повторить. И, кстати, я не помню, вы жюльен свой делали из белых грибов или каких-то других? Я закажу, чтобы их доставили.

— То есть вы считаете, что я сейчас брошу все дела и приеду к вам, чтобы пить с вами и делать вам жюльен? — зачем-то уточнила я.

— Ну... да, — не стал возражать он.

Естественно, он именно так и считал.

— Нет. Спасибо, конечно, но вообще-то я не

пью. То есть пью, но не виски. И, кстати, у меня своя жизнь и...

— Достаточно. А если не захотите — можете и не пить. Поедим жюльен. В общем, чтобы через час были на переходе через проспект Вернадского около университета. Я вас там подберу.

— Не надо меня подбирать! — разозлилась я и бросила трубку.

Какая сволочь, какие они вообще все сволочи! И все же почему-то сволочь Николай сейчас нравился мне куда больше, чем сволочь Алексей, хотя и первый, и второй были уверены, что я побегу по их первому же требованию.

Тр-р-р-р-р-р-р! — опять зазвенел телефон.

— Я сказала, что не поеду! — обозленным до крайности голосом рявкнула я.

В трубке опешили. Потом вздохнули, причем так знакомо, что я сразу поняла, что это не Николай, а наоборот. Сволочь Алексей. Только путают меня, бедную.

— Юлька, ну говори, какие твои условия. Считай, что ты уже меня проломила, — зарычал в трубке муж.

Я почувствовала, что сейчас просто взорвусь от этой чехарды.

— Никаких условий.

— Я знаю, что ты хочешь меня взять измором. Говори, чего ты хочешь, и возвращайся. Я больше звонить не буду.

— И не надо. Я хочу, чтобы меня любили и уважали. Но ты тут ни при чем, — устало выдохнула я.

— Я тебя люблю, и я тебя содержу, чего тебе еще надо? — разозлился он. — Уважение? В каком виде? Больше денег?

— В виде уважения или... в виде сохранения супружеской верности, например! — язвительно добавила я.

— Знаешь что? Ты тоже не перебирай. Таких дураков, как я, еще поискать. Чего тебе, плохо со мной?

— Да, плохо, — кивнула я. — Мне с тобой плохо! Ты мне изменяешь. Ты считаешь, что я бесполезно вишу на твоей шее.

— А что, это не так? — раздраженно переспросил он.

Я устало вздохнула.

— Все, пока. Не звони мне больше. Я сама тебе позвоню.

— Хорошо, — с готовностью согласился Алексей.

Кажется, в моем ответе он углядел какие-то следы своей будущей победы. Или, если угодно, моего будущего поражения. В любом случае он удовлетворился моим ответом и не стал больше досаждать своими звонками. Первый шаг по нормализации конфликта был совершен, так он, во всяком случае, подумал. Что ж, в каком-то смысле он не ошибся. Я понимала, что долго я все равно не протяну, но тут... внезапно в мою голову закралась самая странная мысль из всех, которые только когда-либо в нее приходили. Минут пять я стояла посреди комнаты, оглушенная красотой и простотой мысли. Мне в голову пришел ответ. Причем это был ответ сразу на все мои вопросы — и где найти работу, и как устроиться, если у меня совсем нет никакого опыта, и вообще — зачем я живу на этом свете. Потом я подпрыгнула на месте и бросилась к письменному столу. Я схватила свой телефон и стала перебирать все входящие и исходящие звонки. Я искала номер Николая. Зачем только я прервала разговор с ним?

— Эх, ну где же? Ну где? — злилась я, копаясь в памяти телефона. Но, к моему великому сожалению, номер Николая ведь не определился, а даже если он и позвонил с моего аппарата на свой — это было еще в четверг и не сохранилось в памяти аппарата, так что... Я в бессильной ярости метнула аппарат на диван и уронила голову на папин письменный стол. — Дура, дура, дура! — Я злилась на себя, на весь свет. Ну почему я такая идиотка, у меня был шанс, а я просто бросила трубку.

Тр-р-р-р-р-р! — глухо зазвонил телефон из-под диванной подушки. Я с трепетом, осторожненько подошла к нему и вынула наружу. Номер не определен. В этот момент все во мне затрепетало. Не может быть...

— Алло? — Я снова вложила в голос весь бархат, имевшийся у меня в наличии.

— На проспекте Вернадского через час. Вы придете? Отвечайте, — строго спросил Николай, словно бы это не я бросила трубку, а нас просто разъединили.

— Да, приду. — Я от радости глупо улыбалась и кивала. — Так вам понравился мой жюльен?

— Какие грибы заказать? — вопросом на вопрос ответил Николай.

Отлично, это просто прекрасно!

— Лучше белые.

— Хорошо, — коротко ответил он и повесил трубку.

Я закружилась по комнате в вальсе с самой собой. Да, кому-то это покажется глупым, кому-то вообще странным и ненормальным, но у меня был план. Надо же, у меня действительно был план, и он мог сбыться, потому что... потому что есть все-таки на свете дело, которое я умею делать. И делаю его лучше всего.

ГЛАВА 8,

в которой я прокладываю себе путь через известное место

> **4 июля, среда**
> **(вечер)**
> *День независимости*
> *Постараться*
> *сильно не пить!!!*

Чтобы выиграть битву, иногда достаточно одного только везения. Но чтобы одержать верх в целой войне, необходимо просчитывать все на много шагов вперед. Итак, у меня была цель. Странная, надо заметить, цель — доказать моему мужу, что я прекрасно смогу обходиться без него. Но что поделаешь, если без этого, боюсь, он станет просто вытирать об меня ноги, а я не привыкла, на самом деле, чтобы об меня что-то там вытирали. Мне была объявлена война, и на стороне противника были власть, сила, деньги и еще моя любовь к нашим детям, из-за которых я переживала больше всего. В прошлое воскресенье я отвезла их к нашему дому и даже не поднялась наверх, чем страшно взбесила Алексея. Он, видимо, надеялся, что вместе с дочерьми я и сама заползу в семейную конуру, как побитый пес. Нет уж, не дождешься. Я развернула «восьмерку» и умчалась раньше, чем девочки поднялись в квартиру. И теперь они звонили мне и по очереди жаловались, что папа кормит их пельменями, оставляет на целый день одних, а вечерами все время разговаривает по телефону с какой-то чужой теткой.

— Он все время на нее кричит: «Ты не понимаешь, у меня дома дети! Тебе легко говорить, тебе бы мои проблемы!» А она, кажется, кричит на него, — не без удовольствия донесла мне Дашка.

Это было приятно.

— Мам, а когда ты вернешься? — жалобно спросила Лилька, отчего я сама тоже всхлипнула и проглотила слезы.

— Не знаю, это зависит больше от твоего папы, а не от меня.

— Но ты вернешься?

— Не знаю, детка, — расстроилась я.

Возвращаться вот так, сейчас, я точно была не готова, но и сама понимала, что деваться мне, по большому счету, все равно некуда. В моей жизни не было ничего, кроме этого мужчины и этих детей, нашего дома и окон, из которых виднелся кусочек парка. И раз нельзя убрать первое, но оставить все остальное, мне оставалось только мучительно придумывать предлог, под которым можно было бы сдаться, не повредив окончательно моего израненного самолюбия. Почему-то я, сама не понимая зачем, помчалась к неизвестному и, в общем-то, малоприятному Николаю, даже не накрасившись, но заскочив по пути в магазин. Помнится, в прошлый раз у него ощущалась острая нехватка шафрана и всякого другого розмарина. Даже душистого перца и того не было, так что я похватала всего не глядя. Времени было мало, с «Алексеевской» до «Университета» ехать чуть меньше часа. Хорошо хоть, что у родителей дом находился недалеко от метро, потому что по пробкам я бы только до метро час добиралась. В общем и целом к переходу на «Проспекте Вернадского» я добегала, как старая лошадь — последняя и вся в мыле. Николай на своей серебристо-голубой принцессе уже ждал меня у обочины в самом что ни на есть неподходящем месте. Прямо под знаком «Парковка запрещена» и рядом с гибэдэдэшником в стеклянной будке, опасливо поглядывающим на него.

— Не удивляюсь уже ничему, — усмехнулась я, запрыгивая в знакомую тачку.

— А я вот удивляюсь, — ответил Николай, оглядывая меня с ног до головы. — Почему вы в таком виде?

— В каком это я виде? — обиделась я. — А вы дали мне время? Вы же потребовали, чтобы я с «Алексеевской» попала сюда за час.

— С «Алексеевской»? Нет, с «Конькова». Сюда, между прочим, можно добраться за пятнадцать минут.

— Да, но я-то еду с «Алексеевской», — прищурилась я.

Значит, он и вправду списал все данные с моего паспорта. Только вот то, что меня выпрут из собственного дома, он знать никак не мог.

— Понятно. — Николай с интересом скользнул взглядом по пакету с торчащими баночками и пакетиками. — Яду здесь нет?

— Я могу попробовать все сама перед тем, как предложить вам, — заверила я его.

— Знаете, все это странно, но оказалось, что для меня давно уже никто ничего не делал руками, — задумчиво пробормотал он, выруливая в сторону уже знакомой мне элитной высотки. — Может быть, когда еще была жива бабушка...

— У вас была бабушка?

— А вы считаете, что я родился сразу в смокинге и с органайзером? — нахмурился он.

Я предпочла промолчать и принялась смотреть по сторонам. В пасмурный день, такой, как сегодня, элитная домина несколько утратила свою величественность. Под густыми смоговыми облаками она казалась немного тусклой, а ее зеркальные стеклопакеты уже не искрились, как бриллианты на солнце. И все же домик был супер, да еще с подземной парковкой — что вообще непозволительная роскошь. У нас в Конькове за парковочные места около дома идут самые настоящие бои без правил и приходится парковаться чуть ли не друг у друга на головах, а тут — красота. Прохладный и тихий подвал принимает вас глубоко под землей, обдавая легким ветерком из общей системы кондиционирования. Бетонный пол гулко звенит под каблуками, а бесшумный зеркальный лифт за пару минут возносит прямо на небеса — в аквариум, за стеклянными стенами которого плавает весь город. Впрочем, что это я — все это уже было. Странно, вообще-то, что я проделываю весь этот путь снова. Ей-богу, вот уж не думала, что вернусь сюда.

— Что вы будете пить? — Николай бросил ключи на столик в прихожей и сбросил сандалии.

— Давайте, вы будете пить, что хотите, а я буду красное вино. Оно, кстати, мне вообще не помешает.

— У вас такой вид, словно вы собираетесь не отдыхать, а много и плодотворно работать, — удивился он.

— Именно так.

— Да, но зачем вам это?

— Узнаете, — загадочно улыбнулась я и повязала поверх платья маленький фартучек, который предусмотрительно прихватила с собой. Не хватает мне еще на летнюю юбку из шелка посадить какое-нибудь винное пятно.

Так, за разговорами и аперитивчиком, мы с Николаем прекрасно провели время на кухне, болтая о чем угодно и ни о чем конкретно. Он отдыхал, а я... двигалась согласно составленному плану. И согласно его пунктам на Николаевом столе поочередно и в правильной последовательности возникли сначала салат из клубники с авокадо (нашлось же такое в его холодильнике), затем настоящий американский стейк, а уж потом шоколадный торт с глазурью.

— Как-то все это странно, — отметил Николай, старательно собирая с тарелки указательным пальцем излишки глазури.

— Что именно?

— Видеть все это. Это совсем не так, как в ресторане, где я не могу наблюдать за процессом. Но так, прямо здесь, на моей кухне. Вы таким образом пытаетесь меня соблазнить?

— Почти, — хитро ухмыльнулась я.

— Это интересно. А вы знаете, что вы первая женщина за несколько лет, которая, войдя в этот дом, начала готовить и убирать? Не считая домработницу, конечно же.

— А что делали остальные? — поинтересовалась я.

Николай посмотрел на меня, как на дуру,

пожал плечами и сделал неопределенный круг рукой.

— Раздевались, конечно же. И надо заметить, что в большинстве своем они раздевались куда хуже, чем вы готовите. Или, может быть, я просто уже старею и теперь хорошо приготовленный стейк ценю выше, чем голую женщину?

— Вы стареете... Да вы моложе меня! — возмутилась я.

— С чего вы взяли? Хотя... за комплимент спасибо. Но ответьте, зачем вам все это? Вина вы выпили мало, в то, что вы жаждете упасть в мои объятия, я как-то не верю. Но что-то же вам от меня нужно, раз вы тут так расстарались? — Николай рассматривал меня, словно бы я была насекомое под микроскопом.

Я почувствовала легкий озноб и даже небольшой испуг. Что я тут делаю, зачем? Может быть, пока не поздно, лучше собрать свои манатки и отвалить? Пока не поздно!

— Почему вы молчите? — недобро прищурился он.

И тогда я решилась, потому что терять мне было нечего, кроме своих цепей. Брачных цепей, естественно. А иного способа выбраться из своей трясины я не видела.

— Да, вы правы. Все это не просто так. Я ушла от мужа.

— И? — уставился на меня Николай. — И вы решили, что, если накормить меня жареной говядиной, я женюсь на вас?

— Что? Нет! — рассмеялась я. — Вы все не так поняли. Я... мне... я просто...

— Что вы там мямлите!

— Да погодите вы, это не так просто! Можно сказать, я делаю это впервые в жизни, — запуталась я и смутилась.

Николай расхохотался.

— Только не заверяйте меня, что вы девственница. За свои почти сорок лет, что я живу на свете, я так и не встретил девственницу. Ни разу! А вы — точно не девственница! У вас двое детей. И муж.

— О чем вы? — окончательно озверела я. — Мне просто нужна работа! РАБОТА! По буквам: Роман, Амеба, Болван, Ольга, Тимошка, Амеба.

— Чего? Работа? Какая работа?

— Да вот эта же! — злилась я. — Готовить, убирать, стирать. Я все равно больше ничего не умею.

— Работа? — переспросил Николай.

Я вздохнула и не стала отвечать.

— А у кого? У меня?

— У вас, не у вас — какая разница, — сказала я. — Вы же обеспеченный человек. И к тому же вы знаете, что я не ворую. Вы меня проверяли.

— Ну? — продолжал он тупить.

— Вот и ну. Готовлю я, вы сами видите, вполне вкусно. Убираться могу, гладить, стирать. Цветы поливать. Порекомендуйте меня кому-нибудь? У вас же много знакомых. — Я умоляюще смотрела на него и говорила все быстрее и быстрее, потому что боялась, что, как только замолчу, он выкинет меня на улицу.

— И вы считаете, что я должен обеспечить вас работой? А почему бы вам не обратиться в какое-нибудь это... агентство? — нахмурился Николай, отодвинув от себя тарелку с тортом. Это был дурной знак.

— Агентство? У меня же нет никакого опыта работы. Я же работала только на мужа, а он... он сказал, что либо буду терпеть его выкрутасы, либо... в общем, никуда не денусь и вернусь к нему, как побитая собака. А ведь от меня вам может быть много пользы. Я умею сервировать стол, могу целые приемы организовывать. У мужа часто начальство надо было принимать. Я всегда всем все...

— Стоп-стоп, — замахал руками Николай. — Приемы устраивать — одного человека все равно не хватит.

— Я устраивала, — упрямо замотала головой я. — И еще могу по-английски, если надо. И стрелки на брюках наведу, и накрахмалю, и выглажу. И... и...

— Достаточно. Если бы вы действительно все это умели, вы были бы нарасхват. Впрочем, не буду вас расстраивать, возможно, в агентстве и оценят ваши таланты. Обратитесь туда. Но я тут ни при чем. — Николай недовольно поставил тарелки в раковину и потянулся к виски.

— Не берите в голову, — устало махнула я рукой. — Это не так уж и важно, в самом деле. Вернусь к мужу, ерунда.

— Вот именно. Вернитесь к мужу, к детям. Зачем вам все это? Идти к кому-нибудь в услужение, унижаться?

— Я не хочу унижаться, — обиделась я. — Я хочу работать. И я вас уверяю — если бы меня кто-то взял, он бы остался только доволен.

— Я в этом не уверен, — твердо возразил Николай. — Одно дело — вот так подготовиться и забацать торт. И совсем другое дело — постоянно работать на пределе возможностей. Этого не бывает, вся прислуга через пару недель выдыхается. Всегда!

— Вы уверены? — одними губами улыбнулась я. — Откуда вы знаете?

— О, уж поверьте, я знаю. У меня домработниц столько перебывало. — Николай вскочил и в раздражении забегал по кухне.

Я облизнула губы. Видимо, сегодня был та-

кой день, когда в мою голову лезли самые дурацкие мысли. И сейчас я была намерена озву-
чить еще одну. А что? Пропадать, так с музыкой,
потому что спускаться отсюда я буду в шикар-
ном лифте и уже набирая номер моего благоверного: «Алле? Леша? Прости меня, пожалуйста, но я без тебя пропаду. Можешь делать все,
что хочешь и с кем захочешь, но не бросай меня». Тьфу!

— Слушайте, а хотите пари?

— Пари? — Николай недоуменно посмотрел
на меня. — Что вы еще задумали?

— А что? Честное пари. Значит, вы уверены, что любая прислуга через пару недель пор-
тится?

— Однозначно. И даже быстрее, — кивнул он.

— Тогда возьмите меня к себе... нет, не воз-
ражайте, подождите. Возьмите меня к себе на
месяц. Без всяких денег, просто так. Попробовать. На этот... как его...

— Испытательный срок? — любезно подска-
зал он. — Все это глупости.

— А что сразу глупости? Целый месяц я буду
тут убираться, протирать пыль, готовить все, что
вы только пожелаете, стирать — ну, все, в общем. А если вам не понравится или вы не захотите продолжать — уволите меня без всякой оп-
латы, и дело с концом. Между прочим, шикарные

условия! — Я хлопнула в ладоши и посмотрела на Николая.

Надо же, впервые за все время этого разговора на его лице мелькнула слабая тень сомнения. Он задумался! О, это сладкое слово «халява», знакомое любому русскому человеку независимо от его возраста, вероисповедания и материального положения. Николай смотрел на меня исподлобья и что-то соображал. Я старалась усугубить эффект, но у него, кажется, имелись сомнения.

— А жить вы где будете? Вас же, кажется, муж выгнал?

— Ну... я могу жить и у мамы, но это если вам так будет удобно, — пожала я плечами. Да уж, жить у мамы я долго не смогу, хотя я потом что-нибудь придумаю. Обязательно придумаю. Или нет?

— Это на «Алексеевской»? И что, будете каждый день сюда ездить? Забесплатно? — Николай прищурился.

— Конечно, для меня было бы проще, если бы я смогла жить у работодателя, однако сейчас мне не до жиру. Выбирать не приходится.

— Почему же? Выбирайте! Может, вам пойти в офис? Вы, кажется, сказали, что говорите по-английски? Не очень, вообще-то, типично для домохозяйки.

— Я — не типичная домохозяйка. Я — особенная, но, если быть честной, я пробовала писать резюме. Для офиса. Там надо не только английский. Там надо диплом, компьютер, все такое.

— Ах да, все такое. Образование. А у вас его нет. — Николай положил ногу на ногу и откинулся на спинку стула.

Мне стало не по себе.

— Почему нет. Есть. Только не такое, какое надо. Я окончила Суриковский институт.

— Суриковский? И кого там учат? На бухгалтеров?

— На художников, — окончательно смутилась я.

— Что вы говорите! — внезапно обрадовался он. — То есть вы — художница?

— Нет. Уже давно нет. Я — домохозяйка, и все.

— И все? Восхитительно. И все! И что, вы реально когда-то рисовали?

— Реально я рисовала еще этой весной, вместо дочери сдавала рисунки для школьного конкурса «Россия глазами детей».

— Это же жульничество! — радостно укорил меня Николай.

— Если и так, то за это жульничество отвечает наша классная руководительница. Она каждый год просит меня что-нибудь нарисовать. Так что...

— И что вы рисовали? — продолжил допрос Николай.

— Ну... акварели. Это на самом деле обычные акварели, ничего особенного, но, если вы возьмете меня на работу, я специально для вас нарисую сколько хотите прелестных акварелей, — голосом рекламного ролика продекламировала я. — И вы сможете совершенно бесплатно сделать вот эту безликую кухню более живой, развесив акварели на стене.

— Чудесно, — в задумчивости пробормотал Николай. — Лучшее предложение дня. И все-таки, согласитесь, это странно. Что в этом может устраивать вас, нормальную женщину, с виду не полную идиотку? Ведь вы совершенно бесплатно пропашете целый месяц. Господи, да даже если бы и за деньги, это же самая дурацкая работа в мире! Мыть полы и готовить — кошмар!

— Вы так считаете? — тихо спросила я. — И мой муж, кажется, с вами бы согласился. Впрочем, не думаю. Он вообще не считает это за работу.

— Ну, тут он не прав, — мотнул головой Николай

— Но он так считает. А между тем это и есть то, что я умею и люблю делать. Как вот этот стейк. Или лебедей из салфеток. А вот на компьютере я стучу очень плохо, так что вряд ли меня взяли бы в офис. Разве только за то, что я могу сварить кофе пятью разными способами.

— Пятью? — вытаращился Николай.

— Да, если не больше. Черный кофе в турке, с перцем и солью. Имбирный кофе, кофе с молоком, кофе с коньяком, я уж не говорю о классических капучино, латте, эспрессо...

— И ваш муж вас отпустил? Он что, дурак? — в шутку изумился Николай.

Я широко улыбнулась.

— И все это я бы по вашему первому требованию подавала вам на завтрак. Если бы вы только решились и...

— А знаете что, я вас возьму. И даже жить пущу, — махнул он рукой. — Но с условиями.

— Какими?

— Не волнуйтесь, с приличными. Или не радуйтесь, это уж как хотите. Скажу честно, все это как-то странно для меня, но... если вы действительно будете готовить и все такое... А когда я скажу, посидите со мной, если мне понадобится компания, и, кстати, заодно будете отвечать на звонки... Тогда оставайтесь.

— Правда?! — Ну надо же, а я уже почти смирилась, что мне придется с позором убираться отсюда и всю жизнь корить себя за этот глупый (очень глупый) порыв.

— Только уговор — потом не обижаться, — едко улыбнулся Николай.

— На что? — не поняла я.

— Если я через месяц вас выкину и не дам вам ни копейки, — заявил он самоуверенно, но этим-то как раз меня было не сбить.

— Не вопрос! — ухмыльнулась я. — Только если вы действительно захотите, чтобы я ушла.

— А вы настолько уверены, что не захочу? — скептически скривился он.

— А вы настолько уверены, что захотите? — ответила я вопросом на вопрос.

— Что ж... если вас это устраивает...

— Очень, — кивнула я.

— Интересно-интересно. — Он внимательно на меня посмотрел. — Ну-с, тогда располагайтесь. Занимайте, к примеру... м-м-м... вон ту комнату.

Тут он легонько махнул рукой в сторону длинного коридора, а потом выяснилось, что он имел в виду маленькую гостевую комнатку в самом его конце. Там была очень милая обстановка: диван, стол, тумбочка, небольшой встроенный шкаф с прекрасной металлической фурнитурой внутри и даже маленький телевизор. И, кажется, всем этим тоже никто никогда не пользовался. Вообще в квартире Николая было три гостевых комнаты, еще одна рядом с моей и одна наверху, там, где располагалась спальня самого Николая. Квартира была просто огромная, но я бы не сказала, что в ней когда-то бывали гости. Кажется, в этих комнатах никогда никто не ночевал, в эти шкафы никто никогда не складывал вещи, а в стиральных машинах никогда ничего так и не было постирано. Только грязная посуда свидетельствовала о том, что тут все же бывают люди. Какое-то заколдованное царство с королем, который тоже не выглядел вполне нормальным. Может, я попала к Синей Бороде? Синяя Борода, который любит выпить, — что может быть нелепее?

Поздним вечером того же дня Николай ушел к себе наверх, нетвердо держась на ногах и придерживаясь за стены.

— Значит, завтра меня ждет завтрак? — пьяно пошатнулся он, оглянувшись на меня.

— Осторожнее, — дернулась я, не желая потерять работодателя в первый же рабочий вечер — упадет, не дай бог, с лестницы и сломает шею!

И вот я сидела в своей новой комнате, тоже чуть выпившая, но слишком потрясенная всем произошедшим, чтобы на самом деле опьянеть. Я смотрела из окна на шикарную панораму родного города и еле сдерживалась от странного желания ущипнуть себя за щеку. Неужели все это правда и я не сплю? Неужели у меня получилось? Разрази меня гром, если я сама хоть на секунду поверила в успех этого идиотизма! Я — домработница какого-то важного богача, о котором почти ничего не знаю. Чем он занимается, непонятно. Имеет какие-то корочки, которые уважают гибэдэдэшники, но от этого мне только еще больше не по себе. Однако со мной он ничего плохого не сделал, хотя мы... Да о чем я? В прошлый мой визит он довел меня практически до полного бесчувствия. И что? И ничего. Так что теперь я имею работу и буду спокойно жить в элитном аквариуме с видом на Москву! Впрочем, через месяц я, возможно, все это потеряю, да и сейчас я собралась работать забесплатно. Хотя, кто об этом знает, кроме меня и Николая? Никто. А я уж точно ничего никому не скажу. Даже девчонкам, если на то пошло. Да и какое все это имеет значение? Даже если предположить (чисто теоретически, потому что я все сделаю, чтобы этого избежать), что Николаю надоедят мои пироги и прочие радости и он выкинет меня отсюда ровно через месяц — все равно это ничего не изменит. Почему? Да потому что завтра, да-да, завтра прямо с утра я позвоню своему дорогому мужу и скажу эту фразу, которую я уже отрепетировала. Скажу между делом, между другими важными словами, которые нам все равно надо будет сказать друг другу. Скажу, что мы расстаемся, и он может быть свободен и любить кого угодно. Весь наш разговор будет деловым и чисто практическим, потому что у нас есть общие дети и они не должны страдать.

У меня дома все мои вещи, документы, мне надо все это забрать. Нам все это надо обсудить. Но когда разговор будет подходить к концу, я найду подходящий момент и спокойно так ему сообщу:

— Видишь, Леша, я все-таки нашла работу. Кому-то я оказалась нужна, хоть ты и думал, что это невозможно. Но получается, что я на самом деле могу обойтись без тебя. А ты? Сможешь ли без меня ты? — И мне было бы очень интересно узнать, что он скажет в ответ, если он, конечно, вообще сможет хоть что-то сказать.

ГЛАВА 9,
в которой моя служба и опасна, и трудна…

2 августа, четверг
Погладить занавески
Заказать тыкву
Акварель перевесить
Цветы
Позвонить Дашке

Знаете ли, как ни странно, но абсолютно все люди без исключения считают, что все на этой небольшой коммунальной планете вертится вокруг них. Никого не смущает, что нас на самом деле много миллиардов, а если брать в расчет

164 то, что мы вообще-то не единственные живые существа, греющиеся под солнцем, то эта эгоистическая уверенность и вовсе разлетается в пух и прах. И все же большинство из нас в этом убеждены. Мир существует только для того, чтобы они наслаждались им. И если что-то вдруг начинает выходить за рамки их понимания, они моментально находят этому явлению какое-то объяснение. Именно к таким людям и относился мой вероломный супруг. Я позвонила ему через два дня после моего странного переселения в мертвые чертоги Николая. Почему через два дня, а не на следующее же утро, как я и собиралась? Если честно, первые два дня я сидела как на иголках и все ждала, что Николай прекратит все это, что он зайдет ко мне в комнату или в кухню и скажет, что вообще-то он пошутил и что ему на фиг не нужна женщина, которая будет путаться с пылесосом у него под ногами. Каждый раз, когда он натыкался на меня в коридоре или приходил в кухню и обнаруживал там меня, в его взгляде было столько искреннего удивления, что я вполне допускаю, что он просто честно забывал о моем существовании, когда покидал стены квартиры. Поэтому я все-таки выждала пару дней, только позвонила родителям и сказала, что со мной все в порядке и что я не вернусь. Поэтому, когда я набирала номер мужа, я уже сотни раз прокрутила в голове все воз-

можные варианты нашего с ним диалога. Я допускала, что он будет насмехаться надо мной, что он просто не поверит, что разозлится и потребует, чтобы немедленно уволилась и вернулась к нему, потому что он меня любит, жить без меня не может и эти дни были самыми мучительными днями в его жизни. Последний вариант был больше фантастическим, но мне он так нравился, что я довела его мысленно до точки, когда Алексей стоит передо мной на коленях, целуя мне руки, и клянется никогда больше вообще не сводить с меня глаз. А я, почему-то в старинном дамском платье и в длинных шелковых перчатках, говорю ему, что я другому отдана и буду век ему верна. Просто так было очень душещипательно, вот я так и намечтала. Но реальность, как всегда, сильно отличалась от моего вымысла. А жаль, не правда ли?

Было утро. Я, в строгом соответствии с планом, дождалась, когда Николай отбудет в свои неведомые деловые дали и набрала номер Алексея, чтобы сообщить ему о своем трудоустройстве. В первый же момент, не дав мне сказать ни слова, он решил, что я звоню исключительно, чтобы выбросить наконец белый флаг. Мир же крутится вокруг него, не так ли?

— Юлечка, ну слава всевышнему, ты одумалась! Я уже начал волноваться. Хочешь, я за тобой заеду прямо сейчас? — выпалил он, не дав мне произнести ни слова. — А, хотя ты же на машине. Приезжай сейчас, а то я через пару часов на работу уеду.

— Как поживает Ника? — аккуратно поинтересовалась я, дождавшись паузы.

Алексей закашлялся, но ответил с достоинством:

— Давай больше никогда о ней не будем вспоминать.

— Давай, — обрадовалась я. — Это же твое дело, а не мое, верно?

— О чем ты? — не понял он. Сарказм, с которым я говорила, никак не подтверждал версию о белом флаге. Но и это Алексей, как обычно, списал на личный фактор. Вообще Алексей имеет удивительно гибкую психику, позволяющую ему игнорировать все, чему бы он не хотел уделять много внимания. А я была именно в этом списке — нечто, что постоянно достает больше, чем надо. И вот когда-то, уже довольно давно, он нашел объяснение, почему и что со мной не так.

— У тебя что, критические дни? — спросил он однажды, и с тех пор любую искру моего недовольства, любую жалобу, даже совершенно законную, как, например, просьбу не писать мимо унитаза сразу после того, как я его помыла, он объясняет какими-то женскими недомоганиями. Кричишь, что я должен был забрать девочек с танцев? Гормоны, гормоны. Стучишь скалкой по столу, потому что я поставил портфель на уже раскатанное тесто? Ох уж эти женские перепады настроения. Успокойся, милая, и, кстати, вытри муку с моего портфеля.

Вот и теперь, услышав в моем голосе холод и недовольство, он моментально спросил:

— Ты себя плохо чувствуешь? Опять это самое?

— Никакое у меня не «это» и не «самое». Я прекрасно себя чувствую, — отрезала я. Разговор еще даже не начался, а я уже закипала.

— Слушай, ты только не нервничай. Успокойся, приезжай домой. Мы обо всем поговорим, все решим. Главное, что ты поняла... м-м-м... все правильно. Ты — молодец, — ласковым тоном доктора-психиатра шептал он.

— Я действительно поняла все правильно! — заорала я. — Я нашла себе работу. Уже два дня как. Так что я звоню, чтобы договориться о девочках и забрать вещи.

— Что? — даже не сказал, а как-то выдохнул Алексей.

Я повторила:

— Я нашла работу. Так что надо нам решить, как и когда будем встречаться с девочками, чтобы мы с тобой не сталкивались. И мне надо забрать мои вещи, потому что я уехала практически голой.

— Что? — снова выдохнул муж, но на этот раз добавил: — Ты шутишь?

— Нет, я не шучу. После той смешной шутки, что ты с нами сыграл, мне уже не стоит и пытаться. Так что — нет, я совершенно серьезно. Я правильно поняла, что, если я приеду через пару часов, тебя как раз удачно не будет дома?

— Ты сошла с ума? — уже совсем другим тоном уточнил Алексей.

Я усмехнулась:

— Если и так, это больше не твоя проблема.

— Ты издеваешься? — взбесился муж. — Ты просто хочешь сделать мне больно? Имей в виду, я ведь могу и перестать тут разыгрывать весь этот кордебалет. Хочешь делать вид, что ты такая востребованная специалистка, — пожалуйста, только не со мной. С кем-нибудь другим. Да, дури мозги своим девчонкам, а меня оставь в покое. Говори, ты собираешься возвращаться или нет?

— Не собираюсь, — тихо сказала я, хотя, если честно, его слова, а в особенности его тон, заставили меня похолодеть от ужаса. Что я творю? Ведь на самом-то деле я же не хочу навсегда его потерять? Или хочу? Я с трудом себя понимала, но точно знала, что возвращаться к нему вот так я не могу.

— Хорошо, — в ярости зачастил он на сильно повышенных тонах. — И что это за работа?

Секретутка? Хочешь отомстить мне? Клин клином?

— Ого, это что, такой народный способ решать проблему? — удивилась я.

— Думаешь, если заставить меня ревновать, я буду сговорчивее? Да? Нет уж, ты ничего не умеешь, так что... никто бы не взял тебя на хорошую работу, да еще так быстро. — Он лихорадочно анализировал ситуацию. Ох, как же хорошо мужчины умеют все анализировать, как быстро и точно. И как часто это ничему не помогает.

— Я умею кое-что, о чем ты почему-то забыл.

— Что? Что, английский язык? Да, но у тебя нет никакого диплома, даже сертификата. Это не то.

— Да. Не то. Но я умею убирать, стирать, готовить и мыть. И кое-где за это даже платят! — рявкнула я, мудро умолчав о том, что мне-то как раз никто платить не собирается. Я работаю за жилье и еду. Кстати, учитывая крутизну того жилья и той еды, не самый плохой вариант.

— Ты... это... серьезно? — еле промолвил мой благоверный.

— Да! — зло бросила я.

И тут он расхохотался. Он хохотал так, что мне пришлось отставить телефон от уха.

— Значит, ты — поломойка?! Шикарно. Ну,

если это тебе кажется лучше, чем жить со мной, — приезжай, забирай вещи. Господи, ты действительно сошла с ума! — через смех вымолвил он.

Я не стала дожидаться конца его веселья и бросила трубку. Какой же он все-таки самоуверенный болван. Идиот! Нет, я не понимаю, как я могла прожить с ним столько лет, да еще быть при этом счастливой? Не понимаю!

После всего этого, как вы сами можете догадаться, я стала стараться угодить Николаю с утроенным рвением. Поначалу, конечно же, я чувствовала себя совершенно неловко в этом мертвенно-тихом доме, но потом, когда в шкафу были разложены мои вещи, а на тумбочке я поставила мои любимые духи и фотографии дочек, с которыми я теперь каждый день часами разговаривала по телефону, мне стало немного легче. Выходить из квартиры мне было почти не нужно.

— Если вам что-то понадобится, — сказал Николай на третий день моего назначения, — звоните вот по этому номеру, и вам все доставят в течение двух часов. Спросите Сергея.

— Хорошо, — кивнула я, с сомнением посмотрев на клочок бумаги, вырванный из делового блокнота.

Однако, действительно, по этому номеру мне ответил какой-то спокойный, как три удава, Сергей и, записав каждый пункт моего списка, от хлорки до акварельных красок «Санкт-Петербург», доставил мне все прямо к порогу через два с половиной часа.

— Люля, вы умеете делать тайский суп с ананасами? — спросил меня Николай где-то ближе к выходным. Я не понимала, почему он меня так по-дурацки зовет, но он упорно делал это, а я не решилась его остановить.

— Конечно! — с готовностью отреагировала я и, как только дверь за Николаем закрылась, бросилась к компьютеру.

Нужный суп немедленно нашелся. А поскольку я хорошая хозяйка, то смогла его сделать. Причем, как и советовали в рецепте, ананас нарезала звездочками, а морковь длинной тонкой соломкой. Что ж, хорошая работа требует жертв, так что я провела у плиты несколько часов. Зато Николай, вернувшись вечером домой, уже на пороге с привычным недоумением принюхался, а потом с удивлением посмотрел на сервированный в столовой стол и, наконец, отужинал под бормотание огромного телевизора. Привычку есть на кухне я старалась потихоньку искоренять, потому что не должен человек, имеющий прекрасную столовую с большим тяжелым столом, ужинать на кухне.

— Это тот суп, что вы хотели? — на всякий случай уточнила я.

— Примерно, — пространно ответил он, но суп доел.

Вообще, по словам, голосу и выражению лица Николая было совершенно невозможно определить, что он там думает на самом деле. Он был немногословен, и даже в те моменты, когда от скуки вытаскивал меня в гостиную «поболтать», он как-то так делал, что говорила в основном я. А он молчал, слушал, внимательно смотрел на меня и задавал вопросы.

— А зачем вы купили акварельные краски? — спросил он меня через две недели.

Я неловко повела плечами, поскольку в этот момент поняла, что все мои траты, видимо, тщательно анализируются. Это было неприятно, но, с другой стороны, я же ни разу не купила ничего такого, за что не могла бы отчитаться. Все для него, родимого. Для работодателя.

— Хотела нарисовать несколько акварелей для вашей гостиной.

— Вы же говорили, что завешаете мне ими кухню, — напомнил мне Николай.

Так я поняла, что передо мной человек, который никогда и ничего не забывает.

— Ну, в кухню тоже можно. Хотя и гостиную неплохо бы немного оживить.

— Вы так считаете? — удивился Николай. — Я думал, у меня самый современный дизайн.

— А по-вашему, современный дизайн не может быть безжизненным?

— Хм... В таком случае где мои акварели? — нахмурился Николай.

Я пожала плечами и пошла в свою комнату.

Когда привезли краски, я долго бродила по гостиной, раздумывая, что бы такое изобразить. И наконец решила, что, раз уж основным украшением является фантастический вид из окна, надо рисовать пейзажи с видом города, чтобы продолжать основную линию, но только не в современном урбанистическом ключе, а в старинном. Но не дома менять, а именно технику исполнения. Пусть акварели выглядят состаренными, немного смазанными. И четыре из шести запланированных рисунка уже сохли у меня в комнате, на подоконнике.

— Пожалуйста. Только это еще не все. Их нужно повесить вот здесь, здесь и здесь. — Я ткнула пальцем в пространство над диваном и двумя огромными креслами.

— Ну-ка, ну-ка, — заинтересовался Николай. Причем он не делал вид, как это обычно бывало с Лешкой. Лешка только скользил взглядом и уводил его дальше, к газете или телевизору, где передавали новости.

Он включил свет и стал хорошенько рассматривать рисунки.

— Да, вы правы!

— В чем? — не поняла я.

— Таланта у вас нет, но рисовать вы умеете.

— Может, не стоит их здесь развешивать? — растерялась я. Надо же, какой знаток. Я в последний раз так себя чувствовала на выпускном экзамене в институте.

— Нет, отчего же. Вполне мило и на высоком уровне. Большинство тех, кто может здесь бывать, будет в восторге. А держать в домработницах Кандинского у меня в планы не входило, — довольно резко ответил он.

— Так повесить?

— Вешайте, — пожал он плечами и налил себе бренди.

Бар Николая человек Сергей из телефона обновлял самостоятельно, без моих просьб. Видимо, это было его основной функцией.

К концу месяца я увешала дом Николая картинками в подходящих местах, научилась готовить еще несколько замороченных блюд китайской кухни (кстати, ничего особенно сложного, если имеются все продукты), накупила и расставила на подоконниках и на полу в зале разнообразные цветы, и квартира заметно преобразилась. Николай спокойно принимал все изменения и пользовался всем тем, что я для него делала. Надевал отглаженные мной рубашки, ел и уезжал по делам. Потом приезжал, разбрасывал ботинки, которые я начищала до блеска, утыкался в телевизор или бесконечно говорил по телефону, плотно закрыв за собой дверь кабинета. Меня не покидало ощущение, что он страшно одинок, но его самого это устраивало.

— Я не очень-то верю людям, — обмолвился он как-то в разговоре. — Излишнее доверие может привести к катастрофе.

— А я — верю, — сказала я, на что Николай только пожал плечами. Так что, если не считать того, что расходы на жизнь теперь у меня были не ограничены и выделялись в любой момент по одному моему звонку, в остальном моя жизнь до забавного мало изменилась. Я занималась привычными для себя делами: так же мыла, убирала, готовила. Все по тому же самому сценарию, и в результате получала те же редкие знаки внимания, короткие пустые разговоры ни о чем и практически полное игнорирование моей деятельности. Я и тут была чем-то вроде бытового прибора, который Николай взял на апробацию, и вот теперь прибор (то есть я) ждал, оставят его работать постоянно на этой кухне или заменят привычными старыми, известных марок и брендов, типа Bosh. Ответа на этот вопрос даже не предвиделось. Иногда Николай одобрительно смотрел на меня и бросал что-то вроде:

— Отлично, сделаете этот суп еще раз, — и мне казалось, что дело сделано, я принята и он больше не сможет без меня обходиться.

Но ведь когда-то мне и с Лешей так казалось, ан нет. Может и обходиться. Поэтому стоило Николаю посмотреть на меня с раздражением или с усталостью, я начинала бояться, что пройдет всего несколько дней и он меня уволит, а я окажусь на улице. Придется идти на поклон к мужу, а мне этого страшно не хотелось. А все, все вокруг скажут, что это с самого начала было полнейшим безумием. Впрочем, о чем это я? Все и так это говорили.

— Доченька, ты из интеллигентной семьи. Одумайся и уходи оттуда скорей. Я все еще ничего не говорила папе, ты хоть представляешь, как он расстроится, — увещевала меня мама. Она вообще, как только узнала о моей дикой идее найти работу, встала на сторону моего мужа и всячески ему подыгрывала.

— Юлька, зачем тебе это надо? Ты что, взаправду решила отпустить Лешку? Чтобы он достался этой сучке с его работы? — удивлялась Карина. Она считала мою затею глупостью, а я знала, что Борис все еще гуляет от нее, только теперь это ее забота — не видеть и случайно не находить подтверждений этому. Откуда я знаю? Потому что на прошлый Новый год, который мы праздновали у Каринки, ее Борис напился и лез ко мне целоваться, зажав меня в их семейной ванной. Я никому ничего тогда не сказала, но... делать что-то по ее советам мне точно не хотелось. Однако и другие девочки были с ней согласны.

— Ты подумала о детях? — била по самому больному Машка.

— Лешка сам сказал, чтобы я убиралась. Что я могла поделать? Я бы, конечно, предпочла, чтобы это он убрался из нашего дома, но он не захотел.

— Ты психованная. Надо было сидеть на месте, и все! Ты не понимаешь, чем это закончится? Она же займет твое место.

— Я не хочу к нему возвращаться, не хочу с ним жить. Так, как он предлагает — не хочу! — возмущалась я. Мне казалось, уж подруги-то должны бы были меня поддержать.

— Хочу — не хочу, детский сад! — разозлилась Любка.

— И совсем не детский сад! Мне нужно, чтобы мой муж меня любил. Чтобы мы были счастливы, чтобы мы были снова настоящей семьей. Чтобы он понимал, как ему со мной повезло!

— Ну ты и наивная дура, — качали головами мои подруги.

А Алексей теперь ходил злой как черт и рассказывал всем, что я просто пытаюсь таким образом заставить его ревновать. И, как рассказывала Дашка, моя дочка, он постоянно об этом говорил, даже со своей Никой.

Что ж, хоть это радовало, — Лешка не мог

просто взять и выбросить меня из своих мыслей.

Однако с Николаем все было намного сложнее. Он так и остался для меня загадкой. Но я относилась к нему с огромным вниманием и трепетом, в большинстве случаев старалась все его желания просто предугадать. Например, к ужину подавала теплый хлеб. Я заранее ставила испеченный, политый сливочным маслом и присыпанный чесночком хлеб в духовку, а как только Николай входил в дом, выставляла его на стол — теплый и ароматный.

— Мило, — обычно говорил Николай и в молчании поглощал мою еду.

Но однажды он меня озадачил.

— Люля, вы мне нужны, — сказал он мне как-то, когда я как раз только собралась помыть окна в гостиной. Дело это было серьезное, и я подошла к нему со всей ответственностью, то есть стояла в стареньком платьице из ситца, с тряпкой в одной руке и ведром в другой.

— Да, Николай, что такое? — спросила я, придерживая трубку плечом.

— Вы должны приехать на Новый Арбат.

— Сейчас? — растерялась я.

— Немедленно. Записывайте адрес. Надо, чтобы вы были там через полчаса.

— Но это же невозмож... — еле слышно промямлила я, но было уже поздно, потому что Николай бросил трубку.

Я выронила тряпку, огляделась по сторонам, потом аккуратненько поставила ведро на пол, бросила тряпку в него и… побежала обуваться. Полчаса на то, чтобы в будний день добраться от «Университета» до Нового Арбата? Да он не в своем уме! Я захлопнула дверь квартиры, от которой, надо заметить, у меня до сих пор не было ключа, и поняла, что так и вылетела из дома в стареньком ситцевом платье для грязных домашних работ.

— Нормально, ничего страшного, — попыталась я успокоиться. Нашла «восьмерку» на парковке недалеко от дома, завела ее и поехала к метро. Хорошо хоть не забыла взять свою сумку с документами, телефоном и деньгами…

— Нет, ну невозможно! — кусала губы я, потому что даже при моей скорости выход из дома занял чуть больше пяти минут.

Осталось двадцать пять, а у меня в машине к тому же давно уже барахлил датчик топлива. Он до последних секунд жизни показывал, что в нем имеется полный бак бензина, а потом в секунду стрелка опускалась до нуля, и я знала — заправляться надо в ближайшие минуты, иначе машина встанет.

— Нет, заправляться времени нет. — В условиях выброса адреналина я приняла решение мгновенно. Я дотянула на почти лишенной топлива машине до метро, выскочила практически посреди дороги, бросив машину прямо около знака «Парковка запрещена».

В метро я практически впрыгнула в вагон уходящего поезда. Если Николай говорит — через полчаса, надо быть именно через полчаса. От «Университета» до «Арбатской» я добралась за пятнадцать минут, а потом еще пять минут бежала по Новому Арбату к нужному дому, который оказался отнюдь не первым от метро. Конечно же, я опоздала. Минуты на четыре.

— А, вот и вы, — прохладно встретил меня Николай в холле высокого дома, в простонародье именуемого «книжкой». — Миленькое платьице. Очень в тему.

— Спасибо, — автоматически ответила я, стараясь унять сбившееся от сумасшедшего бега дыхание. Хотя сарказм в голосе Николая говорил о том, что платьице ему совсем не нравится, а даже наоборот. Еще бы, ведь на нем-то самом был прекрасный светло-коричневый костюм, который я еще вчера отглаживала. А я, между прочим, собиралась мыть окна.

— Странно, что вы успели, — удивился Николай, махнув рукой в сторону выхода. Я посмотрела и поняла, что если бы не бросила машину у метро, ехала бы сюда до вечера. — У вас выросли крылья?

— Нет, скорее я научилась очень быстро ползать по подземелью в таких больших железных зеленых червяках, — ехидно заметила я.

Николай посмотрел на меня с искренним недоумением, а я рассмеялась.

— Вы что, уже забыли, что в этом городе проходит метро?

— Метро? А что это? — прикинулся он дурачком.

— Это такие длинные подземные ходы, где можно без всяких пробок, но в очень большой давке попасть к месту назначения, — пояснила я.

Николай сделал изумленные глаза:

— Да что вы? И что, прямо в нашем городе такое есть? А я думал, что все ездят только на автомобилях. И что, там правда ходят поезда? А как же они их туда запихивают, ведь поезд — это такая большая железная штука, верно? А вы меня туда как-нибудь проведете? Прямо не верится!

Так, за глупыми шуточками мы поднялись на какой-то непонятный этаж и по большому красивому коридору прошли в какой-то приемный зал. И только в последний момент, когда Николай уже открывал двери, я вдруг подумала, что так и не знаю, зачем он меня сюда вызвал. Но было уже поздно, потому что двери открылись, и Николай за руку втащил меня в просторный кондиционированный зал, где за круглым столом сидело еще человек десять неизвестных мне людей в очень дорогих костюмах. И все они с интересом и недоумением смотрели на меня.

— Что это значит? — тихо прошипела я в сторону Николая, готовая его убить за свой позор.

— Будете мне переводить, — коротко бросил он.

— Что? — ахнула я.

А Николай, довольно кивнув, улыбнулся и продолжил:

— Скажи им, что я рад всех их видеть на наших переговорах.

ГЛАВА 10,

в которой я не знаю, где найду, но зато знаю, что терять

2 августа, четверг
Вечер

Если катастрофа уже произошла, остается только искать светлые стороны в произошедшем. Все, что ни делается, — к лучшему, а значит, что и в моем появлении на неопределенной деловой встрече на высшем уровне в простом ситцевом платье есть и позитивные стороны.

Какие? Черт его знает. Я раздумывала над этим, лихорадочно перебрасывая русско-английские фразы с одного конца стола на другой. Опыта синхронного перевода у меня, в общем-то, почти не было, если не считать перевод пререканий Алексея и продавцов в европейских магазинах, когда мы там бывали. И перевести его мысли на другой язык было проще простого.

Вариант № 1:

— Вы что, с ума сошли — такие цены! Этот пиджак не может стоить больше двух сотен!

Вариант № 2:

— Господин офицер, я поехал на красный свет, потому что думал, что зеленая стрелка сломана. Простите нас, пожалуйста. Что? Сколько пенальти? Скажи ему, что он не в своем уме.

Вариант № 3:

— Нам гарантировали, что бассейн будет с подогревом. А мне плевать, что в Испании и так жарко. И это не единственное ваше нарушение. Верните половину стоимости путевки. Что значит — разбирайтесь с турагентом в Москве. Я вас засужу! Скажи ему, что он осел. Что? Почему это ты не будешь этого переводить?

Вот такие варианты. Нужное подчеркнуть. Хорошо хоть, что случилось это всего пару-тройку раз за всю нашу совместную жизнь. Алексей считал, что полезнее отдыхать отдельно друг от друга, и чаще отсылал меня с детьми куда-ни-

184 будь в Турцию или Египет. А там сами аборигены столь скудно владели английским, что мне хватало пары слов в день, как Эллочке-людоедке. От меня требовалось только вовремя принимать пищу (раз восемь в день, отчего страдала моя талия), кивать на все детские «А можно, мы?..» и тратить деньги на местных барахолках типа «блошиный рынок». И вот сейчас передо мной стояла задача синхронно перевести разговор о чем-то, чего я не очень-то понимала и по-русски. Попробуй пойми это по-английски! Хорошо хоть, что годы жизни в Англии с родителями в юности еще не выветрились полностью из моих домохозяичьих мозгов. А там мне приходилось слушать и не такое, так что в общих чертах смысл я понимала, то есть разбирала все слова по отдельности. Но чтобы сложить смысл — это нет. В общем, переводила я как могла, а могла я, кажется, плохо. Во всяком случае, Николай постоянно щурился, водил подбородком и недовольно морщился, слушая тот бред, что я несла.

— Сверхсовременные политические технологии используют возможности воздействия и управления психологией масс, — перевела я слова серьезной иностранки с сильно обесцвеченными волосами.

— Это банально, — возражал Николай, и его ответ я переводила с удовольствием. Спасибо ему за простоту изложения.

— Это общие постулаты. И если вы решитесь провести всестороннее исследование психологических стереотипов в среде вашего потенциального... — Я запнулась, поскольку слово «электорат» с первого раза вообще не поняла. Я переспросила, и женщина, недовольно глядя на меня, повторила свои слова, а я их перевела.

Николай бросил на меня ледяной взгляд. Кажется, он приходил в бешенство.

— Мы работаем на будущее. Политтехнологии побеждают прямое идеологическое воздействие, — добавил молодой мужчина с чисто англосаксонской внешностью, то есть рыжий, страшненький и весь в веснушках. Совсем не наш, не русский.

Его более-менее простая фраза привела Николая просто в неистовство. Он побелел и стукнул степлером по столу:

— Только не надо мне заливать про будущее и ваши хваленые технологии, мы тут с этим кризисом не знаем, как быть с настоящим!

— Если бы вы только передали дело в отдел анализа, — по-русски зашептал еще один в дорогом костюме.

Я передохнула. Хорошо, что хоть кто-то из них знает русский язык.

— Я сам решу, когда и куда передать их предложение, — осадил его Николай.

Мужчина в костюме моментально заткнулся.

— Николай Эммануилович, за этими словами стоят реальные достижения. Работа с молодыми людьми невозможна без грамотного идеологического комплекса, — добавил какой-то парень.

— Так, ты вообще не лезь, — бросил ему Николай. — Люль, переведи им: то, чего они просят, сейчас невозможно. Это стратегическое решение. И чтобы его принять, нам нужно время. И потом, я должен убедиться в эффективности их способов промывания мозгов.

— Промывание мозгов? — дернулась я. И как это перевести? Как идиому?

— Да, так и скажи. Я вообще считаю, что мы могли бы обойтись и своими силами. В конце концов, ресурсы наши не столь безграничны, чтобы кормить всю Англию, — скривился Николай. — Но этого ты не переводи.

— Хорошо, — кивнула я и, как могла, донесла до иностранцев его мысль.

Я не очень понимала, что тут происходило, потому что была больше сосредоточена на том, чтобы все разобрать и ничего не упустить. Вообще, работа у переводчиков не такая и простая, надо вам заметить. Особенно когда все эти дорогие люди в дорогих костюмах принялись горячиться из-за какого-то стандартного способа оценки качественного и количественного результата. Иностранцы что-то кричали про рейтинги и формирование имиджа партии. И почему-то сравнивали это с рекламой нового сока, недавно появившейся на наших экранах. Я и сама видела эту рекламу, но времени что-либо вспомнить у меня не было, потому что я была как волейбольная сетка. И мяч через меня перелетал каждые три секунды. В общем, я серьезно тормозила, Николай даже прикрикнул на меня:

— Что замолчала? Скажи им, что меня вообще не волнуют их чертовы рейтинги. Тут вопрос в реальных списках!

— Что? — еле успевала крутиться я, потому что после этого иностранцы вообще принялись говорить все одновременно. Николай же замолчал и только сверлил нас всех ледяным взглядом. А мне приходилось судорожно бормотать то одно, то другое.

— Все, — хлопнул он ладонью по столу. — Достаточно. Скажи им, чтоб подготовили письменную презентацию мне на рассмотрение. Я в таком бардаке думать не могу. Мне вообще не нравится идея с этими технологиями. Бабок много, а толку, как всегда, не будет ни хрена. Что они вообще могут знать о русской психологии, эти чертовы технологи!

— О'кей, — кивнула я и начала переводить его слова.

Николай побагровел от ярости.

— Этого переводить не надо! Скажи только

про презентацию! — гаркнул он, отчего я подпрыгнула на месте, а все вокруг замолчали.

Дрожащим голосом я сказала про презентацию, и, когда закончила, Николай встал и быстрым шагом направился к выходу. Я нервно облизнула губы и посеменила за ним.

— Все в порядке? — на всякий случай уточнила я, имея в виду мою дальнейшую горемычную судьбу.

— Ни хрена не в порядке, — коротко ответил Николай и больше не удостоил меня ни словом.

Черт его знает, что там творилось у него в голове, но всю обратную дорогу он проделал в полном молчании, недовольно покачивая головой. Мне очень хотелось избежать увольнения. По всему было видно, что он недоволен мной. И я бы многое могла ему сказать в свою защиту. Например, что я вообще-то не переводчик и не нанималась к нему в этом качестве. Там же надо все знать, вести какой-то регламент. А я только беспомощно бормотала что-то, но ведь он же нанимал меня полы мыть и еду готовить. И зачем тогда он сам себя дискредитировал, приведя простушку без нужного образования. Сам виноват! Неужели же у него нет нормального переводчика, чтобы на нужном уровне представлять его в этих больших комнатах с круглыми столами. Еще я хотела добавить, что вообще мало чего смыслю в политике и во всех тех вещах, о которых сегодня шел разговор. Кроме того, я бы попросила его вообще не вести себя, как напыщенный индюк, и сказать мне хоть слово. Но сказать в свое оправдание я ничего не могла. Вместо этого я тоже молчала как рыба и ждала приговора. И он, как ни печально, не заставил себя ждать. Уже подъезжая к дому, Николай ледяным голосом изрек:

— Н-да уж. Пора с этим кончать. — И вздохнул, отвернувшись в сторону.

Все мое возмущение, какое было до этого, в секунду превратилось в холодный липкий страх, поползший по моей спине холодным потом. Что я буду делать, если завтра останусь на улице? А я останусь на ней, это как пить дать. Вся эта затея с Николаем, надо признать, с самого начала была полнейшей глупостью. Единственный человек, которому действительно есть до меня дело (или, вернее, было), — это Алексей, мой муж. Надо было, как умные люди советовали, держаться за него. Не выпендриваться. А я, что придумала я? Целый месяц бесплатно прислуживала какому-то странному типу, который вообще непонятно чем занимается, и еще надеялась, что он возьмет меня на реальную работу. Он же предупреждал: не обижайся.

— Ну и кончайте, — в сердцах выдала я ему,

не в силах больше сдерживать свое отчаяние и страх.

— Вы считаете? — с иронией посмотрел на меня Николай. В его взгляде было столько недовольства, столько холода, что стало ясно — ловить мне нечего. Отработала, мать. Собирай манатки.

— А чего тянуть? В конце концов, осталось всего пара дней.

— Вы о чем? — нахмурился Николай.

— Как о чем? — возмутилась я. — Будто вы сами не знаете. Месяц-то прошел!

— А, точно! — хищно улыбнулся Николай и продолжил посматривать на меня с насмешкой. — Так вы хотите расставить все точки над «ять»?

— Ничего я не хочу. Слушайте, высадите меня, мне надо «восьмерку» свою забрать. В ней, кажется, бензин вот-вот кончится, так что мне надо на заправку. — Я захотела немедленно покинуть этот шикарный кабриолет с этим шикарным неврастеником.

— «Восьмерку»? — удивился Николай. — А зачем вы ее оставили?

— Чтобы успеть к вам, — злобно пояснила я. — Уж извините, что не умею хорошо переводить, но вас никто и не просил меня звать. Я к вам не в переводчики нанималась.

— Я сам буду решать, что кому и как делать, — отрезал он. — Не надо меня учить.

— Я не учу, — затихла я.

Когда Николай говорил в таком тоне, я моментально терялась. Кажется, кстати, не только я. От него исходили такие волны, знаете, как сказать... опасные. Он был опасен. По ощущениям. Хотя на самом деле он ни разу ничего такого не сделал, но с ним не хотелось расслабляться.

— Вот и правильно. Не имейте такой привычки. А сейчас идите за этой вашей «восьмеркой», раз она вам так нужна. И через час чтобы были дома. Мне надо с вами поговорить, уже достаточно нам ходить вокруг да около.

— Хорошо, — тихо кивнула я и выбралась из машины на обочину около заправки.

Значит, все так и есть. Все кончено. Ну, что ж, надо помнить, что во всем есть что-то хорошее. Да, мне придется идти на поклон к Алексею. Или можно пойти и попытаться подыскать место домработницы через агентство. Только, кажется, и в этом сегменте рынка высокая конкуренция. Еще бы, в стране кризис, сколько людей готовы за деньги мыть не только полы, но и вообще что угодно.

Я подошла к заправке и спросила, можно ли мне налить бензину в пластиковую бутылку. Конечно же, мне отказали, и, конечно же, за лишний стольник моя просьба все же была удовлетворена. А потом я ехала на троллейбусе к метро, держа в руках пластиковую бутылку с бензином, чем совершенно законно возмущала остальных пассажиров. Бензин — удивительно вонючая штука.

— Вообще все с ума посходили. С бензином в транспорт! — не сдержалась одна бабуся, косясь на меня. — На воздух же взлетим! Вам что, помереть охота?

— А вам и так уж пора. — Я пробормотала это себе под нос, но, уж не знаю как, бабуля услышала. Каюсь, это действительно было очень грубо. Ай-яй-яй, как нехорошо. Но у меня был стресс, а она дошла до того, что начала визжать на весь троллейбус и требовать моей немедленной высадки из троллейбуса. Ведь я же пошутила, это же ясно! Но ясно это было не всем, поэтому, в нагрузку ко всем моим несчастьям, я оказалась выброшена из рогатого транспорта и поплелась к машине пешком. Не знаю, к какому лучшему все это могло быть, но в конце концов, когда я заливала в бачок бензин из бутылки, она выскользнула из моих рук и упала на асфальт, попутно забрызгав меня бензином.

— Черт! Черт! Что ж такое! — в бессильной ярости я колотила кулаками об крышу родной помойки.

Тошнотворный запах бензина заполнял салон. Ничего хорошего, ничего не к лучшему. Пока я возилась со своим автомобилем, отведенный мне час кончился, и Николай, не поленившись перезвонить, недовольно поинтересовался, собираюсь ли я вообще еще появиться или ушла в загул. Не терпелось ему на мне отыграться. У него был тяжелый день, так что теперь надо было расслабиться, как-то отдохнуть. Выкинуть на улицу беззащитную женщину.

— Сейчас, я еду, — чуть не плача ответила я.

— Что у вас с голосом? — помолчав, переспросил Николай.

— Ничего, — ответила я, — Мне гораздо интереснее сейчас, что у меня с жизнью, — вздохнула я. К чему изображать счастливую беззаботную домохозяйку? Все очень плохо, и хороших перемен в жизни не предвидится. Нечего заниматься самообманом и строить радужные планы.

— Господи, почему от вас воняет бензином?! — с брезгливостью принюхался Николай, стоило мне только пересечь порог квартиры.

Безо всякого энтузиазма я пояснила ему, что у меня с машиной.

— Я не понял — вы что, шли с бутылкой бензина до своей машины? Сказали бы мне, я бы вас подвез до нее. А почему вы вообще не заправились как положено?

— Потому что мой датчик сломан. И уж если он упал на ноль — машина встает на месте.

Проще с бутылкой бензина доехать, чем потом машину буксировать тросом. Но пешком я шла, потому что меня бабка одна из троллейбуса выкинула, — пояснила я. А что такого? Нормальная история про нормальную водительскую ситуацию, но Николай смотрел на меня, вытаращившись.

— Вы в порядке? — спросил меня Николай.

— Конечно, — пожала плечами я.

Николай помотал головой и усмехнулся:

— Что-то не похоже.

— Спасибо на добром слове, — без удивления отреагировала я. — Так вы хотели поговорить со мной?

— Я так понял, это вы хотели поговорить, — парировал он.

— Я? Ну да, пожалуй. Никак не могу вам угодить. Что делать, если я не умею всего, что нужно. Вы постоянно недовольны. Вы правы, я же простая домохозяйка, так что чего я могу? Только котлеты жарить.

— Э-э...

— Правда, я прямо вижу, как мой муж будет смеяться. Он-то как раз всегда был уверен, что я без него ни на что не способна, — затараторила я без остановки.

Николай попытался было перебить меня, но без успеха, поэтому махнул рукой, сел в кресло,

налил себе виски и с интересом стал слушать.
Ему удалось вставить лишь:

— Хотите виски?

— Давайте, — кивнула я.

— Итак, продолжайте. Вы остановились на том, что ваш муж вас будет презирать. И вы считаете, что так и должно быть?

— Я не считала! Я как раз думала, что я хорошая жена. Может, не отличная, но не плохая. Со мной можно жить и радоваться, разве нет? Но что я могу сделать, если получается, что я действительно ничего не умею. Только готовлю и убираю. А вам этого мало. И ему тоже. Она-то, эта его Ника, она карьеру строит, она небось деньги гребет.

— Какие деньги гребет? — усмехнулся Николай.

— Я не знаю, — пожала я плечами. — А вот я не устраиваю никого. Даже работаю бесплатно. В общем, не надо тут продлевать агонию! Говорите!

— А что говорить-то? — с усмешкой поинтересовался Николай

— Чтобы я убиралась.

— Убирайтесь, — невозмутимо согласился он.

— Хорошо. — Я вдруг как-то разом опала и сдулась, словно воздушный шарик. Весь мой запал сгорел, поэтому я встала и поплелась к себе в комнату. Жизнь — дерьмо.

— Постойте, — окликнул меня Николай. — Только я что-то не понял, почему вы теперь собираетесь только убираться? А готовить что, не будете? И потом, я тут задумал прием на двадцать человек. Вы так забавно сервируете стол с вашими этими оригами из салфеток, что я уже пригласил кучу народа. Вообще-то просто уборщица мне не очень-то нужна.

— Вы сейчас о чем? — не поняла я ни слова.

— Ну, вы сказали, что будете убираться? А остальное? — Николай широко улыбнулся мне, и вдруг комната осветилась светом, словно бы от этой улыбки. На самом деле просто именно в этот самый момент солнце выскочило из-за облаков на секундочку и залило наш аквариум светом.

Я зажмурилась и переспросила.

— Так вы меня увольняете или нет?

— Я что, похож на идиота? — вопросом на вопрос ответил мне Николай. — В кои-то веки удалось найти нормального работника.

— Нет, вы отвечайте на вопрос. Вы меня не уволите? Это правда?

— Конечно!

— А-а-а-а! — заверещала я от радости.

— Ничего себе, — усмехнулся Николай. —

Вот типичный пример человека, любящего свое дело. Но давайте уж утрясем некоторые детали. Во-первых, если я впредь буду вас вызывать на переговоры, то одевайтесь в приличную одежду. Договорились?

— Договорились, — с готовностью кивнула я, еле сдерживая неожиданно наполнивший меня восторг.

— Теперь по поводу готовки: раз уж мы продлеваем контракт, то давайте договоримся, что вы сами будете ходить в магазины. Потому что, как мне доложили, вы не очень довольны качеством продуктов, которые вам привозят.

— О, это было бы идеально. Лучше я все буду закупать сама.

— Так, что еще? У вас будет только один полный выходной — воскресенье. Но по понедельникам вы сможете встречаться с подружками.

— Отлично!

— Возможно, я буду теперь чаще устраивать дома переговоры. У меня здесь удобнее, видеокамеры есть и все такое.

— Что? — вылупилась на него я. — Видеокамеры? И у меня в комнате тоже? Вы за мной наблюдали?

— У вас в комнате нет, — поморщился он. — Но вы, кстати, имейте в виду, что тут целая система безопасности. Я привык все и вся контролировать. Это не должно вас уже смущать, потому что я не собираюсь как-то этим злоупотреблять, но... это просто должно быть, и это есть. Так, вы поняли все про приемы?

— Да, я все поняла, — кивнула я с максимально серьезным лицом. Как все странно!

— Вот и отлично.

— Можно вопрос? — как в школе подняла руку я. Мне хотелось узнать, почему все-таки он вызвал переводить меня, ведь не может же быть, чтобы у него не было переводчика. Но Николай понял меня по-своему.

— Валяйте. Думаю, я догадываюсь, о чем вы хотите спросить. Давайте я сразу отвечу. Зарплата у вас будет, и она будет большая. Все, кто работает на меня, должны чувствовать себя спокойно и должны быть мне преданы. Так что завтра вам надо будет подъехать ко мне в офис. Запишите адрес и телефон. Там вы пройдете в отдел кадров и скажете, что вас надо оформить на должность моего личного помощника. Контракт они подготовят. Мне так проще будет вам платить, через фирму. Все ясно? Еще вопросы?

— Спасибо большое за зарплату, — хитро усмехнулась я. — Но я хотела спросить не об этом. Вы не собирались меня увольнять?

— Не собирался, — кивнул Николай.

— А почему тогда вы сегодня сказали, что с этим надо кончать? И зачем вообще вы доверили мне переводить? Ведь я ничегошеньки не понимаю в политике!

— О, моя дорогая Люлечка. Именно поэтому, именно поэтому. Вы в этом смысле очень ценный кадр. А кончать надо не с вами, а с этими олухами английскими. Впрочем, это неинтересно. У вас все?

— Нет. Еще один вопрос, — засмущалась я. — А большая зарплата — это сколько?

— Вам хватит, — ответил Николай. — Все, давайте пить.

— За ваше здоровье! — не стала я возражать.

За этот месяц у меня уже накопился большой опыт таких посиделок. И я научилась за весь вечер выпивать одну-две рюмки, не раздражая Николая и не обламывая его удовольствия. Правда, много раз мне хотелось сказать ему, что вообще-то, если так пить, как он, можно же и допиться. Уж очень все это напоминало алкоголизм. Не буйный, не запойный и вообще такой, алкоголизм белого воротничка, где даже лошадь из белой горячки была бы очень дорогой и породистой. Но ведь суть вещей от этого не меняется. И все же я молчала. Потому что чувствовала: Николай очень непростой человек. Так что до поры до времени я решила не разгадывать тайны Синей Бороды, а принимать все как есть.

ГЛАВА 11,
где я посещаю День знаний
с целью кое-что узнать

> **3 сентября,
> понедельник**
> *Продукты*
> *Для брифинга цветы*
> *(сиреневые,*
> *к салфеткам)*
> *Девчонки*
> *Заказать билеты*

Первое сентября — важнейший день в жизни любой матери с момента, как ее дитятко переступит порог школы. Для меня это особый праздник, светлый и прекрасный, но с легкой капелькой грусти. Светлый — потому что теперь ежедневно больше половины дня мои дочери проводили в школе, где грызли гранит науки. А грустный, потому что с первого сентября я снова должна была приступить к изучению программы средней школы (сразу двух классов). Мне снова приходилось садиться за уроки. Как и многим матерям, я думаю.

Однако в этом году все должно было быть совсем иначе. Мои папочка и мамочка, а также Алексей — все были страшно огорчены, когда узнали, что мой работодатель Николай Эммануилович подписал со мной постоянный контракт.

— Неужели же я растил тебя для того, чтобы ты мыла полы в чужом доме! — ворчал папочка.

— Я — его личный помощник. Я не только мою пол, — пыталась я оправдаться.

— Ага, не только пол, но и стены. Ты, с твоим вкусом, с твоим образованием, с твоей красотой!

— Папа, прекрати. Мне очень повезло!

— Да? А мне тут Алексей звонил, просил повлиять на тебя. Что ему сказать?

— Скажи, чтобы он сначала принялся за себя. Чего он хочет? Чтобы я вернулась и бесплатно мыла полы ему? А я, между прочим, теперь точно знаю, сколько стою.

— Ой, дочка-дочка. Разве деньги все решают? — вздыхал папа. Он был человек старой закалки и считал, что с милым рай и в шалаше.

Я и сама еще совсем недавно верила во все подобные романтические глупости, но, как ни странно, именно сам Алексей подтолкнул меня к той простой мысли, что единственное, что он ценит в людях, — это деньги. И успех. Иначе бы он ни за что на свете не стал попрекать меня тем, что я только домохозяйка. Мужчины, ох уж эти сильные мира сего. Они не видят талант, если к этому таланту не приклеен ценник с большим количеством нулей. Я надеялась, что передо мной никогда не встанет необходимость что-то кому-то доказывать. Доставать и приклеивать к себе ценник. Ан нет, как видите, пришлось. И, надо сказать, теперь мне это даже стало нравиться. Я, знаете ли, теперь чувствовала себя немного иначе. Вообще, человеку надо получать зарплату, потому что, только если она — зарплата — есть, он чувствует себя по-настоящему нужным и важным.

На следующее утро после того памятного дня, когда я так неуклюже провела переговоры с англичанами, я устроила Николаю самый роскошный завтрак, на который только была способна. Как же хорошо, что на свете есть Интернет, потому что я просто не представляю, что бы я без него делала. Фантазия человека, даже самая буйная, всегда ограничена стенами одной отдельно взятой черепной коробки. Интернет же, как проявление коллективного сознания, расширяет возможности необыкновенно. Где еще, скажите на милость, можно за пять минут научиться делать ганноверский чай со льдом или яблочный смуф? Холодный напиток и теплые, почти горячие шоколадные кексы? И все это сразу после нежной сладкой рикотты с ягодами и медом.

— И вы хотели, чтобы я остался без всего этого? — усмехнулся Николай в то утро.

— На здоровье! — радостно кивнула я, передавая ему в дорогу кофе в специальном термосе для автомобиля.

— Не забудьте, вас ждут в отделе кадров. А к трем я приеду с одним типом обедать, так что у вас не так много времени.

— Я все успею, — с улыбкой ответила я и закрыла за ним дверь.

Счастливая и успокоенная, я стала собираться в офис. Собственно, работал Николай, оказывается, не так далеко от дома, в районе все того же Арбата, только ближе к Смоленской. И все-таки по пробкам на это пришлось затратить почти час, после которого я оказалась перед роскошным маленьким особнячком, расположенным в одном из арбатских переулков. На особнячке висела вывеска, точное название которой никому бы ни о чем не сказало. Просто этакое ОАО «Рога и копыта», только на английском языке и в очень, очень дорогом месте. Во всяком случае, невозможно было понять, чем занимаются красивые люди в дорогих костюмах, которые, как мне было видно через стеклянные двери, бродили по коридору, пересекая шикарную современную приемную туда-сюда.

— Вы по какому-то вопросу? — с ледяной вежливостью поинтересовался домофон женским голосом.

— Мне нужно попасть в отдел кадров. Я от

Николая Эммануиловича, — робко ответила я, все еще волнуясь, что я что-то перепутала.

— Вы — Светикова? — уже теплее уточнил голос.

— Светлакова.

— Проходите.

Раздалось жужжание, и я попала внутрь, где в мягком прохладном искусственном климате нежились небожители-люди с безмятежными лицами, прекрасной кожей и отличным маникюром. Впрочем, за последний месяц у меня было много относительно свободного времени, так что мой собственный маникюр и моя собственная кожа были тоже в полнейшем порядке. Что ни говори, а обслужить одного не слишком прихотливого мужчину куда проще, чем двоих детей и мужа.

— Вы — Светлакова? — переспросила меня очаровательная длинноногая девица с блокнотиком в руках.

— Да, это я.

— Очень приятно. А я — Диана Петровна, из отдела кадров, пойдемте за мной. Да, вот сюда. Присаживайтесь.

— Спасибо. — Я плюхнулась на дорогой стул, обитый бархатом. Ничего себе, офисная мебель.

— Николай Эммануилович поручил мне решить все ваши вопросы. Это быстро, не волнуйтесь. Мы все подготовили, вам надо только подписать вот этот контракт. Ничего, что он задним числом? Вы же уже отработали месяц?

— Да, — рассеянно кивнула я. — Отработала.

— Так, и дайте мне ваши водительские права.

— Зачем?

— Николай Эммануилович велел оформить вам служебный транспорт, — пояснила Диана. — А что, он вас не предупредил?

— А? Транспорт? — все еще не понимала я.

— Ну, конечно. У нас сейчас в гараже есть «Форды» и «Хонды». Вам что выписать? Хотите «Хонду»?

— Хочу! — кивнула я, чувствуя, как у меня пересыхают губы.

— Вот и прекрасно. Подписали? Так, теперь пойдемте в кассу. Вы за прошлый месяц получите все наличными. Это ничего? Карточка будет готова только через неделю. Вы сможете за ней заехать?

— Конечно, смогу, — кивнула я, все еще неуверенно топая за Дианой Петровной в сторону кассы. И что, думала я, мне прямо сейчас дадут каких-то денег? Было бы неплохо, потому что денег-то совсем нет.

Около кассы Диана попрощалась со мной, пожелав всяческих удач в моей новой трудовой деятельности, и отчалила, покачивая бедрами.

206 У нее были такие туфли, за которые я бы без сомнений продала душу дьяволу. В комнате кассира сидела точно такая же супермодель и нетерпеливо постукивала по столу наманикюренными ногтями. Кажется, я буду работать в хорошей компании. Какие женщины! И я теперь — одна из них.

— Вы Светлакова? Давайте паспорт.

— Вот, — кивнула я, протянув ей мою истрепанную корочку с фотографией. И подумала, что, видимо, их тут отбирали изначально только из победительниц конкурсов красоты. Прямо требовали сначала диплом победительницы. Мисс Чего-Нибудь.

— Пересчитывать будете? — спросила она меня, вернув с небес на землю.

И тут... сказка стала былью, передо мной как по волшебству легла пачка новеньких пятитысячных купюр. Я с трудом сдержала вздох и переспросила:

— А сколько здесь?

— Ну, это по условиям вашего контракта. Я суммы не определяю! — обиженно поджала она губки. Видимо, кассирша не была готова к «глупым» вопросам. Сколько здесь?! Сколько положено!

— Нет, ну сколько? — нетерпеливо повторила я, стараясь даже не дышать.

— Ваш оклад — триста пятьдесят тысяч рублей.

— Мой оклад?! — выдохнула я.

Вот так и началась моя Новая Эра, в начало которой я все еще не могла поверить. Вокруг меня бушевал экономический кризис, люди теряли работу, отрасли меняли стратегии, а мне каким-то образом посчастливилось попасть в замкнутый мир, для которого кризис носил чисто осведомительный характер. Кризис? Это что-то из статистических сводок. Падение ВВП, удвоение внешнего долга, курсы акций, котировки — все эти слова я постоянно слышала от тех, кто приходил к Николаю обедать. И мне совсем не хотелось понимать, о чем именно они говорят. Все эти котировки никоим образом не касались меня, зато оклад около десяти тысяч долларов был ощутимым и по своей сумме теперь вполне сравнимым с окладом, собственно, моего Алексея.

— Сколько-сколько ты получаешь? Это где же такие рабочие места?! — захлопали глазами девчонки, когда мы встретились на одном из наших нерушимых (как московские пробки) понедельниках.

— Десять штук. Я сама до сих пор не верю! — победно кивала я. — А вы меня отговаривали!

— Ты что, с ним спишь? — поинтересовалась практичная Любка.

— Не-а. Он мной в этом смысле не интересуется. Ему я нужна как надежный тыл.

— Тыл у тебя в порядке, — подколола меня Машка, скосив глаза на мои ягодицы. (Что ж, за последний месяц из-за стресса я действительно несколько отъелась.)

— Да, девчонки. А помнится, кто-то говорил про фитнес-клуб. Маш, ты, кажется, хотела в него записаться? — ухмыльнулась я.

Машка восхищенно кивнула.

— Гуляешь? Еще бы, для тебя теперь это копейки.

— Все это ненормально, — пожала плечами Каринка. — Одно из двух. Или он извращенец, или наши олигархи вконец зажрались.

— Выбираю вариант Б, — хлопнула я в ладоши. — Хотя... время покажет.

— Нет, ну я не понимаю, за что тебе платят такие деньги? — недоуменно пожала плечами Машка.

— А что тут такого? Я женщина честная, потому и дорого стою, — усмехнулась я.

— Знаете, девочки, о чем нам на самом деле надо подумать? — заговорщицки склонилась к нам Любка. — Как теперь все это довести до сведения нашего дорогого Лешечки!

— Интересная мысль, — кивнули подруги.

И на этой веселой ноте мы приступили к разработке стратегического плана под названием «Показать мужу кузькину мать».

Датой проведения мероприятия был выбран День знаний. И выбор этот был вполне оправдан, потому что в этот день мы с Лешей в обязательном порядке являлись на торжественную линейку, чтобы проводить наших малышек в школу. И это был единственный день перемирия, на который мы с ним оба были согласны. Во все остальные дни я отказывалась с ним встречаться. Как только на дисплее моего телефона появлялся его номер, который я переписала как «НЕ БРАТЬ, НЕ БРАТЬ, НИ В КОЕМ СЛУЧАЕ НЕ БРАТЬ!», я моментально вспоминала его слова о том, чтобы я сама валила из нашего дома. Сказал прямо в ресторане, в присутствии своей любовницы. И как только я это вспоминала, у меня моментально пропадало желание брать трубку. Так мы и общались все эти месяцы, через нашу дочь Дашку.

— Мам, папа спрашивает, сможешь ли ты забрать нас с Лилькой в зоопарк в воскресенье?

— Передай папе, что я могу забрать вас к Николаю на все выходные. Он разрешил, если вы не будете шуметь.

— Мам, а папа спрашивает, сможешь ли ты после первого сентября возить нас на танцы?

— Конечно, смогу. Передай папе, что я свой

210 долг матери выполню обязательно, пусть он выполняет свой долг отца!

— Мам, папа говорит, что у него этот долг отца уже в... я не поняла, что он сказал. Где, пап?

— Дай ему трубку! — Это был, по-моему, единственный раз за все лето, когда мы с ним поговорили лично пару минут.

— Что ты хочешь от меня? — устало спросил Алексей.

— Тебе надоело быть отцом? Без меня не все так просто? — на всякой случай уточнила я. — Это для тебя отличная возможность получше узнать собственных детей. И помни, дорогой, каждый день помни, что ты сам выгнал меня из дома. Ты сам изменил мне...

— Если бы ты знала, как ты бываешь невыносима. Неужели ты не видишь, что я пытаюсь до тебя достучаться?

— Не туда стучишь, — подвела я черту под разговором. — И давай договоримся сразу. Я теперь работаю и совсем не так свободна, как раньше. Я буду возить девочек на танцы и английский, а ты, будь любезен, проверяй у них по вечерам уроки. Раз ты считаешь, что прекрасно справишься и без меня, то действуй!

— Рыбенок, я ничего такого не считаю, — с неожиданной грустью сказал Алексей.

Но я, как только услышала знакомое слово

«рыбенок», взбесилась окончательно. Я наорала на него, потребовав, чтобы он забыл, как я вообще выгляжу. И чтобы он больше никогда мне не звонил и никогда не вспоминал меня, потому что у него же теперь совершенно другой «рыбенок»!

Но, естественно, я совсем не это имела в виду. Мы, женщины, никогда не имеем в виду то, о чем говорим. Потому что фиг два бы я дала ему обо мне забыть. Особенно теперь, когда получила самую лучшую работу на свете. Домохозяйка — это звучит гордо. Разве нет? Называйте это как хотите, приклеивайте ярлыки, но только теперь я с чувством глубокого уважения к себе каждое утро садилась в ясноокую серебристую «Хонду», машину, о которой не могла раньше даже и мечтать, и неторопливо выезжала с подземной парковки, отправляясь по магазинам. Я закупала продукты, готовила, убирала, стирала, разводила цветы на балконе, раскладывала обувь по ящикам для обуви. В общем, занималась привычными вещами. Я делала то, что делала всегда, живя с Алексеем. Алексей... Одно его имя отдавалось болью в моем сердце и отнимало у меня сон. Хотелось бы мне сказать, что я совсем о нем не скучала. Честное слово, было бы здорово, если бы моя новая работа заставила меня его забыть. Прошлое. Мы когда-то были знакомы, а теперь почти не видимся. Алексей

212 Светлаков? Кто это? Ах да, что-то припоминаю! Ну, и как у него дела? Он же был, кажется, с этой, как ее там, с Никой? Что, расстались? Жаль. Ну, передавай ему привет.

Именно этого у меня совсем не получалось. Я много думала о нем. Я много думала о нас, гораздо больше, чем следовало. Он мне снился, и я еще больше ненавидела его за это. А теперь, когда у меня появились определенные возможности, я думать не могла ни о чем другом, как о том, чтобы доказать ему, как он ошибался на мой счет. Я — не бесполезный балласт, висящий на его шее. Я — подарок судьбы. А он почему-то его не оценил. И план «Первое сентября» я решила воплотить в жизнь на полном серьезе. Доказать Алексею, как он ошибался.

Правда, подруги не были со мной согласны.

— Дорогая, но это же глупо. Ты ничего никому не докажешь, потому что мужик в таких случаях думает не головой, а... — пыталась вразумить меня Машка, когда я объяснила ей, чего хочу.

— Не уточняй, и так все понимаю, но... хочу, и все. Пусть просто увидит меня. Просто увидит и ПОЖАЛЕЕТ.

— Ты можешь купить красивую тряпку, ты можешь разукрасить морду лица, ты можешь подъехать на своей отполированной тачке хоть прямо к дверям школы, — раздосадованно увещевала Машка. — Но ты не скинешь двенадцати лет вашей жизни, того, что ты для него — прочитанная книга.

— Не можешь, а должна! — вставила Любка.

Этот разговор произошел за неделю до пресловутого Дня знаний.

— Никогда старая жена не впечатлит мужа больше молодой любовницы, — добавила Каринка, однако Любка оказалась на моей стороне.

— Девочки, кто говорит об этом кобеле? Давайте сделаем это для себя. Взорвем школу. И потом, ведь, как ни крути, у нашей Юльки теперь реально шикарная тачка.

— Ага, — благодарно подхватила я. — И надо успеть всем этим блеснуть, пока у меня всего этого не отобрали.

— А что, есть шанс все потерять? — моментально уцепилась Машка. Ей было очень сложно принять мое превращение из Золушки безработной в Золушку с десятитысячным контрактом. Но она старалась, как могла.

— У меня вообще иногда появляется странное чувство, что я сплю. Вот стою, строгаю авокадо, укладываю на клубнику, а сама думаю — сейчас проснусь, и окажется, что я проспала, а Лешке нужно кофе и дочкам бутерброды в школу...

— Н-да, ничего себе ночной кошмар.

— Кошмар в том, — вздохнула я, — что я

никак не просыпаюсь. И все строгаю и строгаю авокадо.

— Кому бы жаловаться! — фыркнула Машуня.

Я пожала плечами.

— У меня самая чудесная работа в мире, но я очень скучаю по ним всем. И по нему. Хоть он и подлец на самом деле.

— Тогда пошли и сделаем все, чтобы он кончился при одном взгляде на тебя, — хлопнула меня по плечу Любаша, и мы прямо в тот же день отправились по магазинам.

Что ни говори, а определенные положительные стороны у денег есть. Теперь я могла купить то платье, на которое ни за что не решилась бы раньше. И я узнала его сразу же. После часа хождения по огромному торговому центру я вдруг остановилась около одной витрины.

— Девочки, смотрите! — восхищенно присвистнула я.

Там, в сияющем электрическом свете, стояла она. Лысая пластиковая чурка в платье моей мечты. Красное платье в крупный белый горох, где идеальный крой умело подчеркивал достоинства натуральной шелковой ткани. Скромно и в то же время так сексуально, что даже страшно! В этом платье, да еще с красиво уложенными волосами, да с идеальным макияжем я могла бы свести с ума и директора школы — седого и очень суетливого человека, обожавшего детей. Но не он был моей целью.

— Это оружие массового поражения, а не платье, — кивнула Любка.

— Господи, ты действительно купила платье за восемьсот долларов? — чуть не лишилась дара речи Машка, когда я отошла от кассы с пакетом в руках.

В общем, третьего сентября, в понедельник, я готовилась к Дню знаний так, словно это был конкурс красоты для мам. Я поднялась в полшестого, потому что до ухода мне еще надо было накрыть стол к завтраку, сделать макияж и все такое. О линейке я предупредила Николая еще с вечера, и он не стал возражать, только напомнил мне, что к трем планирует обедать дома с одним «хреном» из комитета. Что это значит, я не поняла, но уже приучилась вообще не задумываться над спецификой работы Николая. Что-то из области то ли политики, то ли экономики. То ли чего-то, о существовании чего я вообще не догадываюсь. Главное, что обед надо делать по высшему разряду. Отлично, не вопрос, а пока я наложила на лицо маску, прямо в пижаме сварганила завтрак № 38 — долгоиграющий: тонкие блинчики из заранее сделанного теста с красной икрой, ягодным соусом, сметаной и еще парой начинок на выбор. Подогреть, накрыть круглой стальной крышкой тарелку и молиться, чтобы хозяин встал не слишком поздно и все это не остыло. Так, салфеточки, кофе я налью прямо перед выходом, а вместо сока сегодня ягодный мусс с киви. Очень полезно, много витаминов. Здоровье хозяина надо беречь.

Я носилась электровеником по дому, замедляя темп и проходя на цыпочках по коридору мимо лестницы наверх, чтобы не потревожить монарший сон. Потом несколько минут мучилась, выбирая макияж. Все-таки надо понимать, что иду на детское мероприятие и краситься под женщину-вамп нельзя. А очень хочется. Так, ладно, останавливаемся на ярких глазах и естественных блестящих губах. Последний штрих — шифоновый белый шарфик к моему красному платью, и я была готова к генеральной битве. Уже в туфлях (четыреста долларов, вау!) я прошмыгнула на кухню и налила в автомобильный термос кофе, чтобы он не остыл. Вот вроде бы и все.

— Люля, это вы? — неожиданно раздался голос за моей спиной. — Кажется, вы говорили, что идете на детскую линейку в школу, а не на свидание.

— Ну да, какие уж тут свидания в восемь утра, — неопределенно пожала я плечами, почувствовав себя ужасно неловко. Ну, не рассказывать же моему сонному взлохмаченному боссу о том, что хочу ранить мужа в самое сердце при помощи платья в крупный горох.

— Вы что, решили кого-то совратить? — спросил Николай.

— Примерно так.

— Да? И кого? — полюбопытствовал он. — Какого-нибудь старшеклассника? Вы знаете, что это противозаконно?

— Нет-нет, вы все не так поняли! Это просто... там будет мой муж. И вот я подумала... мне бы хотелось...

— Что? — нахмурился Николай. — Вернуться к нему?

— Нет-нет, — запоздало испугалась я. — Просто... чтобы он...

— Ну, все ясно. Чтобы он увидел, кого он потерял. Стандартная женская идиотическая мечта, от которой никакого проку. О, отличные блинчики! Прекрасно. Ладно, идите, — милостиво отпустил меня Николая.

Я не заставила себя уговаривать и быстро поцокала на каблуках-шпильках к выходу. Затем спустилась на лифте вниз, в подвал. Там еще раз придирчиво осмотрела отполированную до блеска «Хонду» (прямо не верю, что это как бы моя машина!), посмотрела в зеркало на свои прекрасные (чего там скрывать) глаза и вырулила на дорогу. Как же хорошо, что Николай живет на «Университете», а не где-нибудь, скажем, на

218 «Соколе». Вот бы оттуда я ехала на линейку к дочерям целый год. А так полчаса, и я буду на месте, если, конечно, на моем пути не встретятся два одиночества, которые перекроют своей дурацкой мелкой аварией пару полос, из-за чего весь автомобильный народ никуда не сможет попасть и везде опоздает. Ох уж мне эти мелкие аварии! В самом деле, ну почему из-за какой-то дурацкой справки с парой штампов надо часами куковать на дороге в ожидании злых и грубых инспекторов? Кому от этого легче? Тут у меня зазвонил в сумке телефон, и я, осторожно косясь на дорогу, достала аппарат.

— Алло? — не глядя, ответила я. Если это муж, тем лучше...

— Люля? — раздался ровный и бесстрастный голос шефа.

Я про себя взмолилась, чтобы он не потребовал моего возвращения под каким-нибудь предлогом.

— Да?

— Я хотел сказать вам, что если вы хотели совратить вашего мужа, то сегодня вы для этого оделись очень правильно. Не совсем подходит для школы, но вам идет. Да. Может быть, теперь вам станет легче. И, кстати, будьте на сегодняшнем обеде в этом платье, — добавил он и отключил связь.

Я сидела, в немом изумлении таращась на

свой аппарат. Так, и что это было? Комплимент? От Николая? Ладно, думать об этом мне было некогда, а в целом от его слов мне действительно стало гораздо легче.

Я расправила плечи и отправилась навстречу своей судьбе.

ГЛАВА 12,

которая повествует о некоторых мостах

3 сентября, понедельник, все еще утро
Линейка (только бы не было дождя)
Продукты
Девчонки
Заказать билеты

Между мечтой и реальностью всегда лежит огромная пропасть, но еще большая пропасть между мечтой, о которой мечтаешь, и мечтой, которая воплотилась в жизнь. Никогда никакая, даже самая радужная действительность не дотянет до того, что рисует наше воображение. В нашей голове солнце светит ярче, птицы поют громче и разнообразнее на манер многоголосного хора из диснеевских мультиков. И, конечно же, в мечтах белоснежные розовые лепестки падают к нашим ногам под победные фанфары, знаменуя наш полный и безоговорочный триумф. В реальной же жизни даже победы выглядят совсем иначе. Поправка на человеческий фактор. К сожалению, люди никогда не следуют идеальному сценарию. И предугадать это совершенно невозможно. А все так хорошо начиналось.

Едва я подъехала к школе и припарковалась, как увидела, что мне с порога школы машет Дашкин учитель физкультуры Степан Борисович. При виде меня он весь как-то подобрался и расплылся в радостной, открытой и радушной улыбке. А любому в нашей школе известно, что физрук так улыбается только красивым женщинам. Всем остальным он только бросает короткое «добрый день, мамочки-папочки» и проходит мимо. Значит, я действительно неплохо выгляжу.

— Ну, мать, ты даешь, — присвистнула Любка, оценивая мой макияж и прическу.

Я чувствовала себя неуверенно и немного смущалась, поэтому топталась на месте, не решаясь двинуться дальше. Поэтому Любка была для меня как глоток свежего воздуха.

— И как оно? — волнуясь, спросила я.

Любкин сынок тоже ходит в нашу школу, так что мы много лет вместе стояли на этом нудном и бессмысленном празднике, единственной целью которого было дать выступить с микрофоном нашим местным деятелям из муниципалитета. В обычное время их избиратели (ну то есть мы) не стремились ни видеть их честных чиновничьих лиц, ни слышать их пламенных речей о развитии района и тех невероятных усилиях, которые они и только они лично приложили для всеобщего процветания микрорайонов. А тут такая красота: куча детей с измученными лицами стоят буквой П по периметру и ждут, когда уже их, наконец, отпустят в родные классы, где они смогут обменяться впечатлениями на тему «Как я провел лето». И большинство из этих впечатлений никак нельзя включать в сочинение на аналогичную тему. Как ты включишь впечатление «я впервые попробовал курить» или «я теперь умею целоваться взасос»? Или «у меня теперь есть настоящий парень, так что я теперь совсем взрослая, а вы, девчонки, все малявки, и мне с вами даже не о чем говорить». Надеюсь только, что это не те впечатления, которые получили именно мои дочери. Так вот, чиновники стоят около микрофона и по полчаса, сменяясь, несут ересь о средствах, выделенных на озеленение придомовых клумб, и о проекте «Молодежь в самоуправлении округа», а ученики и их родители терпеливо ждут, зная — это такая повинность. Карма. Надо просто пережить. А насчет громко объявляемых фамилий всех этих муниципальных деятелей — мы их не запоминаем и даже не слушаем. Оно нам надо? Мы с Любкой вообще всегда встаем позади наших классов и просто болтаем на какие-то текущие темы. Сегодняшняя тема была «Алексей». Линейка еще даже не началась, и мы стояли около машины, улыбались знакомым родителям и учителям, а Любка проводила мне экстренный сеанс психотерапии.

— Ты только не вздумай сейчас краснеть и трястись тут, — строго сказала подруга. — Подумаешь, делов — улыбнуться пару раз бывшему.

— А вдруг я выгляжу слишком ярко для такого утра?

— Ты выглядишь шикарно, и это хорошо.

— Может, надо отойти от машины? Все-таки это нескромно, вот так демонстрировать достаток.

— С твоей скромностью далеко все равно не уедешь! — заметила Любка.

Я была плохим пациентом и совершенно не хотела успокаиваться, но все это тоже было даже к лучшему, потому что когда мой дорогой супруг подъехал, то я этого даже не заметила, потому что препиралась с подругой. Алексей припарковал свой «Мицубиси» через пару машин от моей «Хонды» и пошел к толпе родителей.

— Юлька, это ты? — изумленно остановился он, увидев меня.

Я встрепенулась и плавно (отрепетировала заранее) повернулась к нему.

— Здравствуй, Леш.

— Мама, привет! — подскочили ко мне Дашка и Лилька.

Мои вы хорошие, как же мне на самом деле-то вас не хватает! Просто ужас, до чего доводит эта мужская неверность. Теперь даже белый бантик мне пришлось повязывать на головки моим любимым принцессам прямо тут, у школы. Хорошо, что я все нужное взяла с собой.

— Как же ты все это красиво делаешь! — не сдержался, глядя на мои усилия, Алексей. Но скорее так он как бы выкидывал белый флаг, объявляя перемирие.

Я посмотрела на него и легонько кивнула:

— Ты тоже молодец. Хоть форму правильно им надел. — Это означало, что перемирие я приняла. По крайней мере, на День знаний.

— Мы, между прочим, одевались сами, — возмущенно заявила Лилька, но Дашка так строго на нее посмотрела, что та моментально заткнулась.

Девочки подобрали рюкзачки и поскакали в сторону спортивной площадки перед школой.

Там вовсю гремело: «Учат в школе, учат в школе, учат в школе».

— Прекрасно выглядишь, — тихо сказал мой муж, с опаской поглядывая на меня, словно я была миной, которая непонятно отчего может в любую секунду взорваться.

Я усмехнулась и переглянулась с Любкой. Та моментально все поняла.

— Так, пойду я, пожалуй, проверю своих, — пробормотала она себе под нос и отчалила, оставив нас с Алексеем вдвоем, растерянных, смущенных и немного нахохлившихся. Он же, как я могла заметить краем глаза, бросал быстрые цепкие взгляды в сторону моей машины. Значит, сработало. Зацепило.

— Давно мы не виделись, — бросила я в разделяющую нас тягостную тишину. Каждое сказанное нами слово было как маленькая сухая веточка, которую мы подкладывали в маленький, еле заметный и совсем не разгоравшийся костер.

— Я рад, что у тебя все хорошо, — ответил Алексей. — Отличное платье. И, кстати, машина тоже.

— Спасибо. Мне тоже нравится, — согласилась я.

— Получается, что у тебя хорошая работа? — как бы немного удивленно уточнил он.

— Работа у меня та же самая, а вот доход

хороший, — пояснила я. Пусть почувствует, что он недооценивал мой труд, когда имел счастье пользоваться им. Пусть знает, что есть другие, готовые платить за это деньги.

— Ну, понятно. Рад за тебя. Кстати, как у «Хонды» маневренность? Хорошая? Это вообще-то очень быстрая машина, ты нормально справляешься?

— Знаешь, после «восьмерки» просто прекрасно, — фыркнула я.

Алексей, моментально почувствовав в моих словах зачатки раздражения, свернул тему и (как это забавно!) начал говорить о погоде, рассматривая украдкой и меня, и мое платье, и мои глаза.

— Хороший в этом году обещается быть сентябрь, — говорил он, украдкой оценивающим взглядом рассматривая мои ноги.

— Да и август был солнечным, — отвечала я дрожащим голосом, а сама смотрела на его сильные руки, по которым так тосковала.

— Наверное, нам пора идти, там уже какой-то деятель вещает. — Алексей кивнул в сторону площадки и подал мне руку.

Я на секунду застыла, испытывая необъяснимый страх перед этим простым, в общем-то, жестом, но потом взяла его под руку и молча пошла рядом, перебирая лихорадочные мысли о том, что же делать дальше, что же говорить и как себя вести.

А на площадке тем временем происходило ежегодное знакомство с очередным главой управы. Представительный чиновник с округлым животиком и бегающими глазками строил из себя Деда Мороза, а мы, как зайчики, стояли и не жужжали. Пусть себе болтает. Все равно после него придет следующий, и все будет по-старому. Никто не будет ничего делать. Что в этом удивительного?

— Знаешь, ты удивительно похорошела. Чем ты там занимаешься, на этой своей работе? — игриво спросил Алексей, наклонившись ко мне, чтобы было слышно за всем этим грохотом.

— В основном мою полы и готовлю, — ответила я, пожимая плечами. При этом вырез моего чудо-платья открылся чуть больше, оголив мое круглое загорелое (я загорала у Николая на открытом балконе) плечо.

— Ты что, без белья? — интимно уточнил Алексей.

Я понимала, что он пытается со мной заигрывать. Эти полунамеки, этот голодный взгляд... Все это мне было знакомо.

— Ты о каком белье? — ухмыльнулась я и гордо поправила вырез, закрывая оголившееся плечо.

Алексей выдохнул и на секунду зажмурился.

— Красивое платье. Это шелк? Можно потрогать? Похоже, отличное качество. — Он провел ладонью по моему бедру и, раньше, чем я успела возмутиться, повторил, словно оправдывался: — Отличный шелк. Прекрасный выбор, ты всегда была гением стиля.

— Так ты просто проверял ткань? — покачала головой я. — Мог бы не утруждаться. Платье почти за тысячу долларов не может быть плохим.

— За сколько? — на полном серьезе ахнул Алексей и замолчал.

По лицу его пробежала заметная тень. Новость повергла его в шок. Еще бы, ведь, когда он финансировал мое существование, любое платье покупалось мной только на распродажах. Тысяча долларов (ладно, восемьсот, но будем считать, что я просто округлила) — это недопустимая сумма для какой-то там тряпки. «Ты же все равно сидишь дома, куда тебе все это носить? У тебя же и так шкафы ломятся». Как странно, что мой муж изменил мне, а я обижаюсь больше всего не на это, а на то, что ему ни разу не пришло в голову за всю нашу совместную жизнь купить мне платье за тысячу долларов. И вот мне удалось ранить его в самое сердце. И кто бы сомневался, что моим самым сильным оружием станут не моя красота или его любовь, а, как всегда, только деньги. Всегда только деньги. И почему все мужчины так странно устроены?

— Почти тысячу, — еще раз щелкнула я его по носу. — Но при моей зарплате я вполне могу себе это позволить.

— Да? — выдавил он, скептически поджав губы.

Всю линейку он промолчал, уже не приставая ко мне. В глазах его была тревога и страх. Только один раз, примерно в тот момент, когда одиннадцатиклассник на своих плечах нес первоклашку с колокольчиком в руке, Алексей вышел из задумчивости и спросил:

— Так сколько, ты сказала, ты теперь зарабатываешь?

— Я не говорила, — из вредности уточнила я. И добавила: — Десять штук.

— В месяц? — спросил Алексей после долгой паузы.

— Дурацкий вопрос. Не в год же. Ой, Леш, смотри, Лилькин класс в школу повели! Сейчас уже, наверное, и Дашкин выведут.

— Юль, ты в порядке? Ты мне чего-то не договариваешь.

— Что ты имеешь в виду? — спросила я.

Но он только буркнул: «Ничего» — и снова погрузился в свои мысли. Я махала обеим нашим дочерям, а Алексей просто стоял рядом и что-то обдумывал, вычислял, периодически бросая на меня короткие взгляды. Не очень добрые. Возможно, это из-за того, что, как мне казалось, его уравнение никак не могло сойтись.

— Ну, вот и все, — подскочила к нам Любка. — Начался новый год каторги. Мой сынок сегодня спросил меня, уверена ли я, что нет иных вариантов? Типа учебы по Интернету. Представляете, какие сегодня у нас детки продвинутые?

— Ага, — почти не слушая ее, кивнула я. — Мне, наверное, пора. У моего босса сегодня обед, мне надо готовиться. Там будет какой-то гость, которого придется кормить салатом из креветок, а они у меня еще не замаринованы.

— Креветки? — каким-то нехорошим тоном вдруг переспросил Алексей, вынырнув из своего забытья. — Только не надо нам тут рассказывать, что он держит тебя из-за того, что ты умеешь мариновать креветки.

— Что? — От неожиданности я не успела вовремя перестроиться, и улыбка все еще висела на моем лице.

— А то. Знаешь, я все думал и думал, как так могло получиться. Ты ведь не будешь спорить, что никогда ничего не умела. И вдруг такое чудо — босс, машина, десять тысяч оклада! Вау! Я годами бился, чтобы заполучить место. Учился в институте, платил откаты, унижался, взятки совал. Пил с разными мудаками, чтобы они мне

230 контракты отдавали. И все равно, я работаю двадцать лет, а получаю практически столько же. Зарплаты, по крайней мере, не больше. Да еще кризис.

— И что ты этим хочешь сказать?! — наконец сориентировалась я. — Что тебе эти деньги платят справедливо, а мне нет?

— Конечно. Я занимаюсь серьезным делом, управляю людьми, разбираюсь в технологиях. Печень посадил. А ты поливаешь креветки оливковым маслом и разъезжаешь на «Хонде»! И ты желаешь, чтобы я в это поверил? — Алексей похлопал себя по карманам и достал пачку сигарет. Нервно прикурил, втянул дым, закашлялся, потому что понял, что прикурил не с того конца, и в сердцах выкинул сигарету на землю.

— Ты что-то сильно нервничаешь, — с усмешкой подметила я. — Успокойся, никто не пытается тебя оскорбить. Ты самый умный, и это не обсуждается. Просто есть люди, которым нравятся мои креветки, и блинчики, и лебеди, и крахмальные салфетки, и свечи за столом. И акварели.

— Ты что, смеешься? — Алексей снова прикурил, на этот раз как надо, и посмотрел на меня. — Надеюсь, ты не думаешь, что я поверю во всю эту чушь?

— В какую чушь? — опешила я.

— Чушь про этого твоего работодателя. Любителя креветок. Где бы ты его нашла? Через агентство домработниц? Не мели чепухи, мы оба знаем, что происходит!

— И что, по-твоему, происходит? — поинтересовалась я. Надо же, какое у моего мужа богатое воображение. Сколько интересных мыслей и идей бродит в его голове, а я ничего и не подозревала. Оказывается, он вполне способен объяснить и необъяснимое, а также испоганить самые обычные вещи.

— У тебя всегда был любовник. Пока я, как дурак, пахал на нашу семью, ты кувыркалась с каким-то козлом. И как только поняла, что можно упасть к нему на шею, моментально подсчитала все и решила, что меня теперь можно кинуть! Да? Не так ли, дорогая? Все ведь так и было?!

— Ты идиот. — От неожиданности у меня кончились все разумные слова и аргументы. Я только стояла и хлопала глазами.

— Отлично. Я действительно идиот, потому что должен был давным-давно все это вычислить. Заподозрить. Еще бы, такая женщина, как ты, не станет жить с обычным технологом, если есть выбор. Просто нашла удобный повод, чтобы уйти, верно?

Алексей продолжал рассказывать мне трогательную историю его одиночества и моего вероломства, а мне оставалось только слушать и удивляться, как интересно мы, люди, умеем все повернуть себе на пользу. Что угодно наврать, даже самому себе. Какие угодно придумать объяснения, даже самые нелепые, только чтобы ни в чем не быть виноватым.

— Может, ты прервешься на секундочку? — аккуратно ввернула я между парой его диких инсинуаций.

— Только не надо мне рассказывать, что я сильно ошибся на твой счет! Что на самом деле ты ушла, чтобы работать в поте лица. И что на рынке труда твоя задница стоит десять тысяч баксов, — сразу предупредил меня Алексей.

Я не выдержала и расхохоталась.

— На рынке труда моя задница не стоит ни копейки. А вот другие части тела ценятся довольно высоко. Например, голова и руки. Но я не буду разбивать твою стройную теорию, раз уж она у тебя такая ладная вышла. Если тебе удобнее жить, думая, что я просто перебралась к более сильному мужчине и упала на его шею, — пожалуйста. Думай что хочешь.

— Спасибо, что разрешила, — фыркнул Алексей. — Но и без тебя, знаешь ли, я буду думать что хочу.

— О, я не сомневаюсь. Только один момент. Чтобы не нарушить мировую гармонию, просто из справедливости вспомни, будь любезен, где я застала тебя в последнюю нашу встречу и что в это время делал ты и кого ты лапал тогда своими профессиональными многоопытными руками!

— Прекрати, пожалуйста, все валить на меня! — рявкнул он.

Но я остановила его грязевой поток:

— Ты можешь придумывать про меня любые гадости сейчас, но я смею тебя заверить, что в то время, когда я жила с тобой, у меня и в мыслях не было тебе изменять. Я жила с тобой, потому что тебя любила и думала, что ты тоже любишь меня.

— Это так и было! — попытался было вставить он, но я только замотала головой.

— Значит, от большой любви ко мне ты сосался с этой Никой. И только из любви предложил мне убираться из дома. — Я стала очень груба, но во мне, как говорится, накипело.

— А зачем ты приперлась позорить меня на людях? — вдруг с видимым усилием выдавил из себя Алексей. — Я просто ляпнул сдуру, не подумав. Ты не дала мне подумать.

— Хватит! — устало махнула я рукой, как будто была судьей на боксерском ринге.

Мы, еле дыша, расползлись по разным углам ринга и наскоро зализывали раны.

— Давай не будем ругаться. Я не хотел этого, — предложил Алексей через пару минут.

— Не говори, что я виновата в том, что произошло. Ты сам все потерял, — уперлась я.

Алексей помолчал. Потом отвернулся и принялся рассматривать собственные ладони с вниманием исследователя. Наконец, решившись, сказал:

— У меня много проблем. И с работой в том числе. Кажется, нашу компанию продают. И тогда я могу остаться без работы, а у меня нет богатого покровителя, чтобы выехать из этой ситуации.

— У меня тоже нет покровителя, — снова, однако уже без энтузиазма, проговорила я, но, кажется, Алексей не был готов слушать ничего, что противоречило его стройной теории. Я имею богатого любовника, а значит, тоже не ангел. Что ж, очень удобная позиция, не так ли?

— В общем, я не знаю, что делать. А тут еще девочки. Эти уроки, надо же их проверять. Мне некогда, я занимаюсь серьезными делами, а ты нас бросила. Так что...

— Я вас не бросала! Это ты меня выгнал. Нет, мне просто смешно! Ты устал? Но это и твои дети!

— И твои.

— Спасибо, что напомнил, потому что сама бы я даже не вспомнила! — разозлилась я. — Чего ты теперь хочешь? Чтобы я забрала и их в дом моего богатого любовника и посадила твоих дочерей к нему на шею? Потому что тебе тяжело? Чтобы стало совсем легко? Ты хочешь все переложить на мои плечи? Может, и ты к нам присоединишься, если с работой будет совсем плохо? А ты не мог раньше подумать об этом? До того, как снял штаны, забыв про то, что ты женат?

— А ты не можешь меня просто простить? — внезапно проговорил Алексей тихо, так, что я едва его услышала.

— Простить? — переспросила я.

— Да, простить.

— Простить. А что дальше?

— Я не знаю. Не знаю! — Ему явно было трудно говорить. Что-то с ним происходило, что-то мучило его. Он то вскакивал, то садился на перила детской лесенки, около которой мы стояли, и что-то рвалось у него изнутри, но также что-то и мешало. И ни о чем этом я не имела ни малейшего понятия. Я вдруг с ужасом осознала, что передо мной взрослый, симпатичный, такой знакомый и родной незнакомец, о котором я практически ничего не знаю.

— Лешка, почему это произошло с нами? — тихо спросила я.

— Потому что я — идиот, — после минутной паузы ответил он. — И ты права, я сам во всем виноват. И раз у тебя есть кто-то лучше меня, главное, чтобы ты была счастлива. Потому что ты этого заслуживаешь, в конце концов. Ты —

236 молодец. Я надеюсь, что он никогда тебя не обидит. А про дочерей — это я так. Конечно же, мы все решим, со всем разберемся. Просто я устал. Все это так сложно.

— Что происходит? — Я вдруг почувствовала странную тревогу. То есть в целом то, что он наконец-то смог сказать хоть какие-то добрые слова в мой адрес, пусть даже и в таком контексте, — это был прогресс. Но то, как он выглядел при этом, было неправильно.

— Просто... я даже не знаю. Если бы можно было все исправить. Но ведь нет ни одного шанса. Я просто в тисках, все эти обстоятельства!

— Ты говоришь это так, словно прощаешься со мной, — испугалась я.

— Ника переезжает ко мне где-то через месяц. Ее сейчас нет, она в Питере. Так что, когда она вернется из командировки, она будет помогать мне с детьми, потому что я не справляюсь. Понимаешь, сейчас очень трудно. Кризис. Я должен сосредоточиться на работе. А она... она считает, что между нами все серьезно. Во всяком случае,... так будет лучше для девочек. Наверное... Кто-то должен же хоть продукты покупать. Правда, я не уверен, что девочки это правильно поймут. Но я так устал, так устал... И потом, Ника считает, что это правильно.

— О чем ты говоришь? — Я еле-еле могла пошевелить губами.

— Все уже решено. Еще неделю назад. Я обещал Нике, что поговорю с тобой сегодня, но я не думал, что это будет так трудно.

— Ты ее любишь?

— Ее? — Он поднял на меня глаза и поморщился, словно бы не мог понять, о ком я говорю.

— Ты ее любишь? Нику.

— Любовь? А что это такое?

— Любовь — это то, что было у нас с тобой, — с неожиданной твердостью даже для самой себя сказала я.

Алексей ссутулился и как-то весь сжался.

— Юль, ты прости меня. Кажется, я все-таки умудрился испортить жизнь всем нам. — Он судорожно обнял меня за плечи и, резко отвернувшись, пошел прочь, не дав мне сказать ни одного слова. Да даже если бы и дал — я просто не знала, что сказать. Что вся эта моя работа — не более чем пшик, и я готова к нему вернуться в любую секунду? А я готова? Броситься к нему и умолять его остаться не с ней, а со мной? Но самая большая проблема была в том, что я вдруг поняла — как бы я ни любила наших детей, этого будет недостаточно, даже если я побегу за ним и стану его умолять. Он сделал свой выбор. И этот выбор был против нас. И как бы ни было тяжело, мне остается этот выбор только уважать, будь он неладен. Выбор «Горящие Мосты».

ГЛАВА 14,

заполненная красивыми вещами (тринадцатую пропускаем, потому что это несчастливое число)

> **1 октября, понедельник**
> *Девчонки*
> *Костюм для приема*
> *Созвониться*
> *по поводу лилий*
> *Подтвердить торт*
> *Музыканты в белом!!!*

Все течет, все меняется, даже если нам это не совсем нравится. Можно ли что-нибудь этому противопоставить? Решаем ли мы хоть что-то или все решения давно приняты за нас? Где свобода воли и выбор, если на деле все случается так, как мы и вообразить не могли? Государства воюют — они что, не могли договориться? Реки пересыхают, а целые страны страдают от наводнений. Почему с этим ничего не сделали? Женщина рожает ребенка, чтобы потом не знать, как его прокормить. Разве это нормально? И, в конце-то концов, если человек работает, кто-то же должен за это платить?! Должен? Или нет? Согласился бы хоть один мужчина работать бесплатно, работать много и тяжело, годами не имея выходных и отпуска? Ау, мужчины, вы хотите или нет для себя такой судьбы? А между тем средняя продолжительность рабочей недели матери, у которой имеется хотя бы двое детей, составляет шестьдесят восемь часов. Да-да, ШЕСТЬДЕСЯТ ВОСЕМЬ! В НОРМЕ! Оказывается, дотошные американские ученые не обошли своим вниманием эту сторону жизни. Все-все посчитали, и оказалось, что профессию домохозяйки, если, конечно, договориться и считать это профессией, добровольно не выбрал бы ни один человек. Эта работа не нормирована, приходится сочетать умение водить машину с терпением репетитора по всем предметам школьной программы, способности повара с тяжелым трудом закупщика, уборщицы и прачки. Выходных у матери нет и быть не может, потому что именно в выходные вся ее любимая семья собирается вместе и трижды (минимум) в день хочет есть. Выходные — самые тяжелые дни. И заметьте, что при огромной рабочей неделе и совершенно нереальных нагрузках наблюдается практически полное отсутствие заработной платы, социальных гарантий, оплачиваемого отпуска и премий за хороший результат. Так почему же мы, женщины, пашем и пашем, даже и не думая об увольнении с такого, прямо скажем, мало престижного рабочего места? Самый странный ответ на свете — мы это делаем от большой

240 любви. Конечно же, мужикам это покажется странным, но именно от любви к ним и к нашим общим детям, к теплому уютному дому, в котором поселилось счастье, мы готовы пахать без отдыха.

— Если бы еще это кто-нибудь ценил! — горько вздохнула Любка, у которой муж в очередной раз потребовал отчета в том, куда она потратила его драгоценные денежки.

А она, между прочим, никуда, кроме семьи, их и не тратила. Так только, немножко на солярий, немножко на парикмахерскую и самую чуточку на наши понедельники. В этот раз мы собрались в одном дорогом ресторане недалеко от Старого Арбата. Да, это недешево, но имеем мы право хоть иногда что-то себе позволить?

— Ты-то теперь вообще можешь не думать о деньгах, — с некоторой укоризной сказала Машка.

— Ну, не всегда, — успокоила я ее. Хотя, получив уже в третий раз зарплату, я почувствовала, что в моей прошлой жизни я все-таки много чего недополучала. Но зато в прошлой жизни у меня было счастье. А теперь?.. Теперь нет.

— Как же я ненавижу эти вопросы! — фыркнула Машка, передернув плечами. — «Сколько можно выкидывать мои деньги на ветер? Я не умею их печатать». «Зачем тебе еще одни туфли, у тебя же, кажется, всего две ноги?»

Слушай, Юлька, а у твоего Николая Эммануиловича нет еще какого-нибудь рабочего места?
Я бы пошла, однозначно.

— Я бы тоже, — с готовностью поддакнула
Любка. — С этим кризисом мой совсем озверел.
Считает каждый рубль, я уже не знаю, на что себе лишнюю пару колготок купить. А по мне —
мужчина просто обязан содержать женщину, если уж он на ней женился.

— И сделал ей детей, — продолжила я ее
мысль. — Только, девчонки, поверьте мне, деньги еще ничего не решают. Если бы вы только
знали, как много я бы дала, чтобы вернуть все
на свои места. По-старому.

— Да ты что? И ты бы ушла от Николая? —
разом ахнули мои подружки.

Машка недоверчиво осмотрела меня с ног до
головы. Я отвела глаза, потому что не знала, что
ответить. Уйти от Николая? Нет, этого бы я не
хотела ни за что. Тем более теперь, когда все
так изменилось. Даже я сама еще не успела полностью привыкнуть к тому, как быстра и беспо-
койна стала моя жизнь. И как много в ней теперь красивых тряпок, о которых я раньше и не
мечтала.

— Неужели тебя что-то не устраивает? —
нахмурилась Карина. — Ты просто обязана быть
счастливой! Тебя одевают, обувают, ты бываешь
на приемах, принимаешь разных важных гостей.

Может, однажды твое фото даже попадет в газету или журнал!

— Ну, так далеко, я уверена, не зайдет! — пожала я плечами.

Хотя кто знает, кто знает... Дело в том, что все началось после того памятного обеда, на который я по просьбе Николая явилась в моем непобедимом красном платье в белый горох. Обед, собственно, удался на славу, хотя гостей оказалось больше, чем я ожидала. Вместо обычной пары приятелей босс приволок с собой еще восемь человек, чем почти привел меня в состояние паники. Хорошо еще, что у нас большая столовая с огромным обеденным столом, так что мне не надо было думать, где подзанять недостающих стульев или у кого попросить салатниц. Посуды и прочей ерунды у нас много. Но вот с едой все было хуже, так что мне пришлось экстренно готовить разные канапе из всего, что под руку попадет. Николай только улыбался и поддерживал светскую беседу о том, что политический ресурс требует финансовых вливаний, а рейтинги у нас, слава богу, все еще продажны. Я же лихорадочно накрывала на стол и переливала в супницу суп из белых грибов.

— А это моя Люлечка. Познакомьтесь, я о ней вам рассказывал. Настоящая кудесница.

— И красавица, надо заметить! — кивнул один из гостей.

Я улыбалась, четко отслеживая время, потому что вести светскую беседу, одновременно сервируя стол, расставляя закуски и готовя еще шесть дополнительных вторых блюд, — это сложно. Но... не за то мне Николай платил десять тысяч баксов, чтобы я жаловалась. В общем, судя по всему, я справилась.

С того дня Николай начал не без удовольствия приглашать на обед своих коллег, в том числе и иностранцев, чтобы в непринужденной обстановке пообщаться с ними и решить разные важные дела. Кроме того, пару раз он вытаскивал меня в свет, на приемы, где я старательно улыбалась незнакомым людям и изображала из себя светскую львицу. На мой вопрос: «Зачем я вам тут нужна?» Николай невозмутимо отвечал:

— Чтобы другие бабы на меня не вешались.

— Прекрасно! — пожимала я плечами. А что мне оставалось делать?

Зато перед каждым таким приемом шеф выдавал мне свою кредитку со словами: «Купи себе что-нибудь, чтобы эти курицы не думали, что я экономлю на женщинах». И, как вы сами понимаете, я покупала. О, это были такие вещи, ради которых можно было бы Родину продать. И, конечно же, все мне нравилось в моей работе. О такой работе можно было только мечтать.

— Ну и чего ты, право слово, гневишь-то Вселенную. Сиди и наслаждайся! — возмутилась Машка.

— Да я и наслаждаюсь, — согласилась я. — Но просто... как подумаю, что у меня дома поселится эта сучка, хочется или водки выпить, или зарезать кого-нибудь.

— Ах, ты об этом, — протянула Каринка.

Да, я говорила именно об этом. Даже не знаю, если бы ко мне завтра подошел Хоттабыч и предложил исполнить одно мое самое заветное желание, каким бы оно было. Может, чтобы муж никогда не встречал на своем пути молодую женщину по имени Ника? Или чтобы Хоттабыч отправил меня на машине времени назад, в прошлую весну, и чтобы там мой муж вдруг почувствовал непреодолимую любовь ко мне, своей жене. Или...

— Слушай, Хоттабыч в лучшем случае мог бы подогнать к твоему дому «Бентли». А копаться в чужих сердцах не в его власти, — обломала меня Машка. — И потом, такой Хоттабыч у тебя как раз есть. Вспомни хотя бы свое новое платье! То, бежевое. Это же фантастика. А какой жемчуг!

— Платье — это да, — не стала я спорить.

Бежевое вечернее платье, расшитое жемчугом и ручным кружевом по линии декольте и разреза, было куплено мной ко дню рождения одного коллеги Николая. Этот прием должен был состояться уже завтра, и организовывать вечеринку поручили мне. Все должно было проходить в одном дорогом ресторане, который я выбрала и выкупила на целый вечер. Было приглашено много политиков из Николаевой среды, весь список согласовывал сам юбиляр. Столы должны были сервировать белоснежным фарфором и украсить букетами из лилий. А вот наряды официантов были бордовыми и на фоне всей этой белизны смотрелись очень изысканно. Во всяком случае, мне так кажется, а Николай не возражал. И юбиляр, взглянув на мои рисунки-эскизы вечеринки, сказал, что полностью мне доверяет во всем, а особенно в выборе меню. Что говорить, ведь юбиляр частенько бывал у нас дома на обедах.

— С таким платьем давно пора забыть, что ты вообще была замужем, — сказала Машка.

— А когда она приезжает? — сочувственно спросила Каринка.

Я вздохнула.

— Как ты понимаешь, я не могла об этом спрашивать напрямик. Как ты себе все это представляешь? «Дорогой, я сегодня оставлю девочек у себя, ладно? И, кстати, когда там в мой дом заселяется твоя любовница?» Так, что ли?

— Нет, девочки, ну неужели мы ничего не можем сделать? — возмутилась Любовь. —

Ведь она же просто за твой счет пытается в рай въехать. Эта чертова карьеристка украла у тебя мужа, потому что завести своего, нормального, свободного, молодого, у нее кишка тонка!

— Точно. Эта сучка просто ни на что больше не способна, кроме как совратить мужика сорокалетнего.

— Чему он, я уверена, теперь и сам не рад, — добавила Каринка.

Я кивнула.

— Это похоже на правду. Видели бы вы, какими глазами он на меня смотрел первого сентября! Я просто уверена, что он и сам не рад, что все так обернулось. Но почему он не пытается меня вернуть? Получается, что он действительно любит ее?

— Ну что ты, нет, конечно. Просто эта сучка им манипулирует, — успокоила меня Карина. — Вертит, как хочет. А он, дурак, поддается. Надо ее проучить.

— А вот это отличная мысль! Нет, в самом деле, — хлопнула в ладоши Машка, — красиво жить не запретишь, но помешать-то можно! Давайте Дашку с Лилькой подговорим. Давайте они ее вещи все перепачкают зеленкой. Пусть они скажут, что просто мазали царапину и пролили.

— Коварная женщина! — усмехнулась Машка. — Но план хорош. Можно еще выкрасть у

Лешки что-нибудь ценное и потом сказать, что это она взяла.

— Ага, подложить ей. Это будет прямо как в мексиканском сериале. Дальше осталось только подменить детей в роддоме и...

— И что это изменит? — вдруг разозлилась я. — Что это изменит в моей жизни? Мой муж приводит в дом другую женщину. Мой муж больше не любит меня, он даже не пытается меня вернуть. Весь этот месяц он разговаривает со мной так, словно бы мы чужие люди. Вернее, даже не так. Не как чужие, а так, словно мы с ним — старые друзья. Спрашивает, как у меня дела на работе. Говорит, что я прекрасно выгляжу, когда мы с ним встречаемся около дома. На той неделе позвонил мне часов в десять вечера и стал рассказывать, что у них на заводе решено налаживать новую производственную линию. Они теперь будут выпускать дешевое молоко, ряженку и кефир. Людям, видишь ли, из-за кризиса теперь интересна только цена, так что пиара делать не нужно, надо только снизить стоимость. В общем, я слушала его полчаса, а сама думала: какого черта!

— Действительно, почему он звонит тебе?! — возмутилась Карина.

— Самое позднее через неделю он будет спать с другой женщиной в моем доме, в моей кровати (кошмар!), она будет подавать ему на завтрак пережаренную яичницу на подсолнечном масле, а он будет это жрать. Но сейчас ему просто надо с кем-то поговорить, и он звонит мне! А я его слушаю, как дура, и сама себя за это ненавижу.

— Почему?! — хором спросили девчонки, переглянувшись.

Я тоже вздрогнула и немного пришла в себя. Оказалось, что я уже почти ору. Я сбавила тон.

— Потому что я по нему скучаю. Господи, да, когда мы с ним говорим, мне хочется все бросить и бежать к нему. И мне стоит больших усилий вспомнить, что он мне больше не муж и что мы с ним просто болтаем! Вообще, кстати, непонятно, зачем болтаем. Но это еще не самое страшное.

— Нет? Куда уж хуже, — удивилась Люба.

— Вчера я сама позвонила ему!

— Что? Как ты могла?! — презрительно сморщилась Машка.

— Сама не знаю, девчонки. Только я вернулась домой с этого ресторана, где проводила репетицию завтрашнего приема, и вдруг мне так захотелось с ним поговорить. Услышать его голос. Все ему рассказать. Тоже, знаете, не как мужу, а вот так же, как он, — как другу. И я позвонила. Да. И рассказала ему все об этом приеме. Я расписывала ему, как долго я подбирала салфетки, чтобы они были в тон к костюмам музыкантов, а шелковый подиум для подарков должен быть бордовым, но не того оттенка, что фартуки официантов, а чуть темнее. Чтобы гармонировало, но не было одинаковым, потому что это было бы скучно. И что ужасно волнуюсь.

— Из-за салфеток? Ты — псих! — уверенно констатировала Машка.

— Да, она — псих, но ей именно за это платят десять штук, — резонно подметила Любка.

— Мы живем в психованном мире. Ну, и что он?! — переспросила Каринка.

Я отвела глаза.

— Он сказал, что уверен — это будет самый красивый зал и самый великолепный прием! — ответила я и уронила лицо в ладони. — Сказал, все будет роскошно, потому что этим занимаюсь я. Представляете? И пожелал мне удачи! Таким голосом, что я чуть не разревелась.

— Да он просто сволочь! — возмутились девчонки. — Да как он мог! Не слушай его, он того не стоит! К нему завтра приезжает Ника.

— Ну, еще не завтра, — помотала я головой. — Знаете, я стараюсь думать о ней, как о дальней родственнице. Ну, что теперь делать? Она есть, и я с этим ничего не поделаю. Я к ним и на сто метров не подойду, но, раз уж все так случилось, надо как-то жить. Верно? Мы же будем растить детей, нам же с Лешкой надо как-то общаться. Я буду стараться ее не замечать, как будто ее нет. И все.

— Ты с ума сошла? Так нельзя! Надо ей отомстить. Надо выжить ее из дома, — возмутилась Карина. — Ты порчу навела?

— Не навела. У меня и времени-то теперь нет. Вся в бегах целыми днями. Да нет, не то. Я просто не хочу. Понимаешь, не хочу. Ведь она-то мне чужой человек. Плевала я на нее. Еще порчу наводить, грех на душу брать. Да и не верю я в это все.

— Ну и зря. Это все очень даже работает, — обиделась Карина.

— Пусть так. Но если мой Лешка думает, что ему нужна она, — пусть так и будет. Знаете, ведь он мог прийти ко мне и бросить все к моим ногам. Он мог бы хоть попытаться меня вернуть. А вдруг это было бы не так и сложно? Но он даже не попробовал. Наоборот, он сидит и ждет, когда приедет его Ника, а со мной говорит, как со старым другом. У меня от этого просто едет крыша.

— Н-да, дела, — вздохнула Машка. — И все-таки у тебя, по крайней мере, есть чудесное платье. Если бы не мое воспитание, я бы попросила его у тебя поносить.

— А ты — воспитанная? — усмехнулась я.

— Дашь мне платье? — улыбнулась подруга.

Я кивнула. После приема оно мне все равно понадобится не скоро, так что почему бы не сделать любезность подруге, которая в свое время давала мне в пользование миостимулятор. Кстати, теперь у меня и у самой был такой, причем последней модели. И все свои одинокие вечера я проводила за косметическими процедурами, миостимулированием и бегом на тренажерах в фитнес-клубе, который нашелся прямо в соседнем доме.

Какой парадокс судьбы! У меня не было никакой личной жизни, зато выглядела я теперь так, словно у меня просто не могло ее не быть. Но такое времяпрепровождение вполне шло мне на пользу. Во всяком случае, стрелка моих весов впервые за много лет сползла вниз, отметим, что я сбросила почти пять килограммов.

— Вот что значит настоящий друг! Мой муж с ума сойдет, когда увидит меня в твоем платье и бежевых туфлях на прозрачном каблуке! — радостно запрыгала Машуля.

Я усмехнулась:

— Про туфли разговора не было.

— И что, ты хочешь, чтобы я ходила в ТАКОМ ПЛАТЬЕ и в каких-то жалких туфлях с распродажи в Конькове? — пристыдила меня подруга.

Я рассмеялась и кивнула, в который раз порадовавшись, что у меня есть такие чудесные друзья. Пусть у меня теперь нет мужа, я ужасно переживаю, что мало вижу дочерей, но зато... у меня есть девчонки, а дочек я скоро вытащу в какой-нибудь дом отдыха, и мы проиграем и проболтаем целые выходные. Собственно, почему бы и нет, если мои средства это позволяют? Вообще, от денег много пользы. Впервые в жизни я, профессиональная домохозяйка, получала за свой труд не упреки, а полноценную зарплату. Раньше, когда я жила с Лешкой, он выдавал мне деньги на расходы, и как-то так считалось, что эти деньги должны включать и все мои личные потребности, от которых я, как правило, отказывалась. Потому что всегда возникало то одно, то другое, на что деньги были нужны больше. То дочкам на танцы требовались новые костюмы, и я так и не покупала давно присмотренный косметический набор, то поднимали цены на продукты, и я не вписывалась в выделенные средства. Или просто мне вдруг хотелось приготовить что-нибудь эдакое, требующее морских гребешков или натуральных крабов, и я покупала деликатесы, уговаривая себя, что у меня и так много платьев, а эту весеннюю распродажу я вполне могу пропустить.

Была ли я права? Я постоянно шла на компромисс ради семьи, но оказалось, что мой муж этого не ценил. Он жил с ощущением, что он всех нас тянет. ТЯНЕТ, словно мы были не его семья, а балласт, который бесполезно болтается где-то за спиной и который он, как честный человек, просто не может бросить.

Что ж, сейчас я могла купить любые наряды дочкам, а также провести с ними выходные в пансионате, только на это не всегда было время. Правда, иногда я забирала девочек пораньше с продленки и тащила в развлекательный центр, и там мы шлялись по магазинам или сидели в ресторане. В общем, мои отношения с дочерьми становились только лучше.

— Мамочка, а может, вы с папой все-таки помиритесь? — спрашивала Лилечка, хотя Дашка и делала ей страшные глаза: мол, не надо маму расстраивать и все такое.

— Деточка, иногда что-то не может случиться, даже если все-все этого хотят.

— А почему? — хмурилась она.

— Ну, наверное, просто потому, что раз бог не дает им этого, значит, им этого не надо, — пожала я плечами.

Эх, если бы я сама знала все ответы! Тем более на такие вопросы.

— А почему этого не надо? Ведь ты же хочешь? — Дети всегда все переспрашивают по сто раз.

Я улыбнулась.

— Ну, вот я, к примеру, всю жизнь хотела, чтобы у меня был дом у моря, но дома у моря у меня нет, значит, не надо. Зато вместо этого у меня есть вы. И что? Если честно, я только рада. Что мне делать одной у моря? А с вами мне очень-очень хорошо. Хотите еще мороженого?

— Да! — хлопали они в ладошки.

Дом у моря — это сказка. И многое из того, чего мы так страстно хотим, скорее всего, нам не нужно. Но вот работа, чего греха таить, мне нравилась все больше и больше. Независимость — это блюдо, вкус которого почти неизвестен домохозяйкам. И когда я ехала по городу, слушая музыку и глядя на ночной город из окна моей машины, я чувствовала, что все очень и очень хорошо. Во всяком случае, могло быть намного хуже. Вдруг я не встретила бы Николая, он не дал бы мне работу, а я вернулась бы к Алексею. Конечно, он бы принял меня, но наша совместная жизнь стала бы еще хуже. Он бы делал все, что ему заблагорассудится. На меня бы он смотрел как на пустое место... Разве это было бы лучше? Я не знала. Я ничего не знала наверняка, но когда думала о завтрашнем приеме, то понимала, что уж вот это-то, по крайней мере, мое. Мне нравилось рассылать приглашения, созваниваться с менеджером ресторана, обговаривать детали вечера. Я планировала меню, обдумывала, как расставить столы. И снова и снова перечитывала сценарий мероприятия, чтобы все было на высшем уровне. Не знаю, что будет дальше с моим сердцем, но работу свою я просто обожала. Это факт.

ГЛАВА 15,
в которой я обретаю неожиданный опыт

13 октября, суббота
*Послать макет
дизайнеру
Костюм
Продукты
Купить фильм
Дашка + Лилька
(завтра театр)*

Верно ли, что женское сердце никогда не ошибается, или нет, но женщина всегда и во всем будет прислушиваться именно к нему. Даже если от этого уже бывали проблемы. А ведь мне уж, кажется, было достаточно проблем. Плавали, знаем. На мели садились, об рифы бились и однажды даже почти утонули. И все же, когда мое сердце говорило «я скучаю», я ничего не могла с этим поделать. Я скучала вместе с ним.

Говорят, время лечит. Да, наверное, но это в том случае, если пациент старается поправиться. Пьет таблетки, ходит на прием к врачу, выполняет физиопроцедуры, высыпается, правильно питается и старается не болеть. У меня, например, высыпаться почти не получалось. Почему? Вот уже две недели, как мы с Лешкой завели моду болтать по ночам. Так, ни о чем, обо всякой ерунде. Как старые друзья. Это было странно. Очень странно даже для меня, потому что еще недавно мне казалось, что звук его голоса, такой знакомый и родной, вреден для меня и наносит мне непоправимый ущерб. И вот почему-то весь день я бегала по своим разнообразным делам, которых становилось все больше, а сама только и думала о том, что скоро стемнеет, стихнет суета, и я сяду в огромном кресле напротив большого окна в нашей темной гостиной, налью себе вина и не стану зажигать свет, глаза привыкнут к полумраку, подсвеченному иллюминацией города за бортом. И пошлю ему эсэмэску всего с одним словом «финита», и буквально через минуту он перезвонит мне и спросит своим низким голосом:

— Как дела? Как прошел твой день? Надеюсь, ты не слишком устала? — Вопросы Алексея повторяются изо дня в день.

— Устала ужасно, но это ничего, — отвечу я и замру от чувства теплоты. И в нашем аквариуме в эту минуту будет не так холодно и пусто, как обычно. Все-таки за все это время мне так и не удалось сделать дом Николая совсем уж живым. Может, это потому, что я не чувствовала себя в нем как дома? Хотя этот бесконечный вид на Москву я очень полюбила.

— Знаешь, у нас с тобой чудесные дочки, —

сказал мне вчера Алексей, когда я мирно дремала с прижатой к уху трубкой. Точно так же я болтала с подругами в самом детстве. Тогда мобильных телефонов еще не было, и я притаскивала к кровати телефонный аппарат с трубкой на скрученном проводе и клала его рядом с собой. Мама страшно ругалась. Теперь же ругаться на нас было некому.

— Ты только сейчас это заметил? — усмехнулась я. — Таких дочек вообще ни у кого нет.

— Я вчера ждал их с танцев и впервые увидел, как они танцуют. Слушай, все-таки столько лет не прошло даром. Особенно Лилька. Она очень грациозная.

— Я говорила тебе, что у нее есть способности, помнишь? — уточнила я.

Раньше разговоры такого рода я заводила не единожды. Но мой муж был так занят, что предпочитал не вдаваться во все эти вопросы. Детские проблемы, детские секции, танцевальные костюмы — все это его не интересовало. Это было очень грустно, и я помню, что мы часто по этому поводу ругались.

— Она такая же грациозная, как ты. Я помню, как ты танцевала вальс с этим своим сокурсником. Как его звали? — спросил Лешка, чуть усмехнувшись.

— Тот, к которому ты так идиотски ревновал? — улыбнулась я.

В памяти возник наш новогодний праздник на последнем курсе в Суриковском училище, и я танцую вальс, а Лешка сидит на подоконнике, злится и отказывается со мной потом говорить. А я уговариваю его, что все это ничего не значит, что это просто танец, а люблю-то я только его.

— Кажется, Сергеем. Или нет, может, Севой? Слушай, не помню! — поразилась я.

— Ага, я столько сил тогда потратил, чтобы его от тебя отвадить, а ты теперь и не помнишь! — делано возмутился Алексей.

— Ты псих. Он никогда на меня даже не смотрел.

— Это не так, — уверенно заявил Алексей.

— Так-так. Просто ты никогда не умел танцевать, вот я и была вынуждена как-то выкручиваться. А ты всегда был ужасно ревнивым.

— Потому что ты была ужасно красивой, — сказал он и замолчал.

Я зажмурилась. Господи, ну почему, почему мы сейчас ведем эти разговоры?! Ведь, по сути, мы уже совершенно чужие люди. Алексей старался не спрашивать меня о Николае, потому что продолжал думать, что я с ним сплю, а я обходила стороной все вопросы касательно его Ники. Мне просто было неинтересно. Она все еще не переехала к нему, а когда все-таки переедет, я не знала. Ничего в их отношениях не интересовало меня. Я не хотела знать. Мы делали вид, что нас связывает дружба и нам просто нравится говорить о своей прошлой жизни и о всяких пустяках. Хотя, конечно, все это было не так. Все было неправдой, от первого до последнего слова. Когда я слышала голос Алексея, я видела рядом с собой не старого друга и не бывшего мужа, с которым мне удалось сохранить добрые отношения. Знаете, бывают такие странные случаи, где людям, когда-то объединяемым любовью, теперь настолько наплевать друг на друга, что они находят в себе силы общаться друг с другом. И им совсем не больно. Но нет, я бы так никогда не могла.

Лешка говорил мне:

— Я думал о тебе весь день.

А я видела его темные, полные страсти глаза и словно чувствовала его сильные руки, спокойно и уверенно прижимающие меня к себе. Я хотела снова оказаться в его объятиях, услышать его насмешливый шепот, смахнуть капельки пота с его лба. Я хотела уснуть, прижавшись к нему, уткнувшись носом в его плечо. Многое бы я отдала за это. Но вместо этого я рассказывала, как целый день готовила на своей навороченной кухне, потому что завтра времени у меня не будет, а к обеду Николай приведет голландцев. Черт бы их побрал, потому что они отнимут половину моего выходного.

— Ты знаешь, я начинаю потихоньку понимать, за что тебе платят столько денег, — усмехнулся Леша.

Николай действительно теперь поручал мне кучу самых неожиданных дел, которые, по большому счету, не входили в работу домохозяйки. То он посылал меня с документами на другой конец города, словно я какой-то клерк, то поручал составить макет приглашений на прием для его политической и черт ее знает какой элиты. И я два дня билась на пару с веб-дизайнером, чтобы получить действительно стоящие и стильные варианты приглашений, из которых Николай выбрал, кажется, наугад.

В общем, я была мастером на все руки. Особенно после того приема в честь дня рождения, который Николай поручил мне организовать. Если честно, я страшно волновалась и даже не смогла вдоволь насладиться своим прекрасным платьем, потому что все время решала какие-то проблемы.

— У нас не хватает барменов, чтобы делать коктейли! Гости пьют быстрее, чем мы трясем шейкерами!

— Артист на вторую часть вечера опаздывает, а первый должен уезжать!

— Один гость привел с собой трех сопровождающих лиц. Пускать?

— Именинник хочет, чтобы его племянник ему спел. А вдруг он не умеет петь!

— Пусть поет, пока не приедет артист на вторую часть, — решала я, не отрываясь от остальных проблем.

Весь вечер я провела как на фронте. Кузькина мать зовет! Все в ружье. И все ради того, чтобы наутро Николай коротко бросил мне:

— Что ж, для первого раза неплохо. — И моментально нагрузил меня новыми поручениями, которые совершенно не имели отношения к ведению домашнего хозяйства.

Но, вы знаете, меня все это как раз больше радовало, чем раздражало. Потому что, когда я бегала по городу с бумагами, или переводила корреспонденцию для Николая, или вывозила его, пьяного, с какой-нибудь встречи, потому что сам он за руль уже не мог сесть даже теоретически, я чувствовала, что ТАКАЯ огромная зарплата вполне соответствует качеству и количеству моей работы. Работала я теперь почти все время. Я была как белка, вполне довольная и своей кормушкой, и своим колесом. А также звонками своего бывшего, которые были тем более волнительны, чем более я понимала, что все это временно. Все равно это должно было кончиться, не сейчас, так позже. Господи, да Ника сама поставит на всем этом жирную точку, как только внесет свои безвкусные чемоданы в мою прихожую. Почему я так уверена, что они будут безвкусные? Мне казалось, что такая акула и карьеристка просто не найдет времени, чтобы заиметь кое-что стильное. Кроме моего мужа, разумеется. А насчет того, что она не позволит моему Леше говорить со мной по ночам, я не сомневалась. Ведь она же собиралась жить с мужчиной, который ушел от жены, бросил семью, соврал. А совравший единожды соврет и еще раз. Так что не жить Нике никогда со спокойной душой. Будет, будет она мучиться. И я буду мучиться тоже.

— Леш, знаешь, я так скучаю по старым временам, — сказала я, чувствуя, что все-таки засыпаю.

Завтрашний день обещал быть очень трудным. Мне надо было столько всего успеть, и еще обед с этими голландцами. А завтра вечером я должна была вести девчонок в театр, так что надо было поспать хотя бы несколько часов, но разрывать связь, хотя бы и телефонную, я не хотела.

— Я тоже, — после молчания ответил он и тоже сонным голосом. Вот мы два придурка в два часа ночи! — У нас была отличная семья. Слушай, Юлька, ты ж, наверное, должна спать? У тебя теперь так много работы. Я не понимаю, как ты все это выдерживаешь?

— За очень большие деньги, — усмехнулась я и зевнула. — Ничего, я завтра в театре отосплюсь.

— А хочешь, я пойду в театр с вами?

— Ты? В театр? Ты же его терпеть не можешь! — до глубины души удивилась я. Такое предложение, да еще из уст моего мужа, было подобно снегу в июне. Обычно Лешку начинало выворачивать от одного только вида театральных билетов.

— Ничего. Я не буду смотреть на сцену, — заявил он.

— Отличная идея. А куда же там еще смотреть?

— Я буду смотреть на вас, — серьезно ответил он.

— А как же билеты?

— Я что-нибудь придумаю. Куплю еще один. В крайнем случае украду у кого-нибудь.

— Звучит несколько странно, — промурлыкала я и подумала в который раз, что, кажется, я совсем свихнулась, если позволяю всему этому происходить.

— Так ты согласна?

— Я говорю свое решительное и бесповоротное «может быть», — бархатным голосом прошелестела я, представив себе, как это будет здорово — мы с ним рядом, в темноте театральных кулис. Может быть, мы будем целоваться? В моих мечтах-то я, во всяком случае, могу делать все!

— Так, давай спать, — командирским тоном произнес Алексей и повесил трубку. Раньше, чем я решилась спросить, а что именно во мне он хочет увидеть. То, что под платьем? Нет, этот вопрос был бы решительно лишним в разговоре двух старых друзей, связанных вместе только прошлым и двумя общими детьми. Решительно, надо браться за ум. И на этой веселой ноте я отключилась, уткнувшись носом в подушку, так напоминавшую в моих снах его плечо.

Наутро я, как всегда, встала в шесть часов, намазала лицо кремом, натянула бархатные перчатки и принялась за пыль, которая уже пару дней вызывала мое глухое раздражение. Но мне никак не удавалось выбрать десять минут, чтобы заняться ею. Вообще все чаще я поднималась на час раньше, чтобы успеть переделать все домашние дела прежде, чем мне придется заняться делами недомашними. Чтобы квартира, особенно такая большая, как у моего шефа, всегда сверкала чистотой, надо было регулярно выполнять ряд обязательных мероприятий. Промывать и натирать воском полы, стирать с мебели пыль, поливать цветы, лепестки фикусов прыскать специальной смесью для листьев, удобрять землю. Натирать кафель, смывать с зеркал пятна от пальцев, разбирать вещи на полках, а обувь чистить и расставлять по местам. В холодильнике надо было хоть раз в неделю сортировать продукты, чтобы не оставлять просроченных. Пополнять запас бытовой химии. Стирать и гладить вещи, составлять списки продуктов и меню на ближайшие дни, заранее планировать быстрые блюда и закуски на случай, если босс притащит с собой гостей. Он обожал такие вещи, причем в последнее время предпочитал, чтобы я не торчала все время на кухне, а сидела вместе с гостями и болтала с ними о всякой ерунде. Кроме того, я постоянно организовывала какие-то мероприятия, выполняла разнообразные поручения. А ведь с некоторых пор в моем кошельке болталась карточка-пропуск в прекрасный фитнес-клуб, куда у меня почти не оставалось ни сил, ни времени выбираться. Хотя поплавать в прохладном полупустом бассейне, отключиться от всего после тяжелого дня или, наоборот, взбодриться перед длинным днем было так прекрасно! Но вместо этого я работала, работала, работала. Как заведенная.

— Люля, вы уже встали? — раздался голос Николая сверху, из его спальни. — Принесите мне анальгин, кофе и что-нибудь пожевать.

— Секундочку! — крикнула я, чертыхнувшись. Ну, зачем, спрашивается, если у тебя похмелье, вставать так рано и куда-то там переться. Но, видимо, ему было надо.

— Люля, собирайтесь. У нас с вами сегодня обширная программа, — тоном, не допускающим возражений, заявил Николай.

Я растерянно вытаращилась на него.

— Программа? Вы же сказали, что сегодня приедут голландцы. Обед же!

— И что? Мне надо поработать за компьютером, а вы поведете машину. Поедем в аэропорт и встретим голландцев. Мне надо, чтобы они попали сразу в мои руки, так что придется ехать самому. Но я не хочу тратить время в пробках, так что давайте поторапливайтесь.

«А когда же я приготовлю обед?!» — захотелось крикнуть мне в сердцах, но я этого не стала делать. За свои деньги Николай мог привлекать меня к чему угодно. И он был непоколебимо уверен, что даже если я неделю не появлюсь дома, то все равно обед подам вовремя и он будет хорош. Нормальный мужской подход. Кстати, во многом и мой Лешка в свое время считал так же. Недаром говорят, что все мужчины одинаковы. По крайней мере, если не во всем, то в чем-то точно. Поэтому я понеслась в ванную смывать крем с лица, даже не заикнувшись о своих планах. Значит, на обед будет вчерашний плов, который я выдам за ризотто. А канапе я, как всегда, приготовлю за пять минут. Но ведь Николай мог меня хотя бы предупредить.

Так, не ворчать!

— Люля, вы готовы? Сколько можно ждать? Я уже все съел, нам пора, — нетерпеливо переминался с ноги на ногу Николай. Он уже ждал меня в прихожей.

Еще бы, ему было очень плохо после вчерашних закрытых переговоров с какими-то его знакомыми финансовыми воротилами из известной энергетической компании. Переговоры выдались трудные, пить пришлось много, но доехал он все-таки сам, на честном слове и на своей фээсбэшной корке, в которой значился такой чин, от которого любому постовому вмиг становилось безразлично, сколько промиле у моего Николая в крови.

— Я готова. А вам вот еще алказельтцер, — я протянула ему бокал с шипящей холодной водой, который Николай сначала приложил ко лбу.

Пока он поправлял здоровье, я успела вытереть пыль в гостиной и подкрасить ресницы. Ну не могу я выйти на свет божий без боевой раскраски.

— Молодца, — одобрил шеф, после чего разместился на заднем сиденье своей черной «Порше Кайены», которая с наступлением дождливой осени почти совсем заменила кабриолет. А жаль, потому что мне ужасно нравился серебристо-голубой, открытый всем ветрам автомобильчик, хоть он и не подходил к нашим дорогам. В общем, Николай уткнулся в свой ноутбук, предоставив мне самостоятельно выдираться из цепких лап Третьего транспортного кольца, решая немыслимую задачу: как попасть с Университета на Ленинградку и доехать до Шереметьева.

Конечно, по воскресеньям все не так плохо, как в рабочие дни, но Ленинградское шоссе будет стоять всегда. Так что день завертелся, я лавировала между машинами, врубая, где приходилось, мигалку, самолет в аэропорт прибыл вовремя, голландцы улыбались и щедро сыпали банальными фразами, которые я без каких-то усилий переводила Николаю. Потом мы все пообедали, и было просто замечательно. Я даже попереводила какие-то сложные разговоры о планах Европы в целом и их конкретного голландского подразделения в частности на стабилизацию курсов валют, а Николай что-то им внушал о том, что нужно кому-то пойти навстречу и реструктурировать какие-то кредиты, и перезачесть какие-то акции. Как обычно, я совершенно не понимала, о чем, собственно, говорю. Какие-то антикризисные «терки», не иначе, но что именно они делали и кому от этого потом станет хорошо, я не понимала. Но, как теперь я уже отлично знала, именно в тех случаях, когда от переводчика и не требовалось излишнего понимания происходящего, Николай и привлекал к процессу меня.

— Вы ценный сотрудник. Вы совершенно ни о чем не осведомлены. Кроме, конечно, рецепта рагу по-бэкингемски, или как там вы его зовете, — хохотал Николай, когда однажды в ответ на его просьбу я попыталась изложить вкратце суть переводимого мной разговора.

Я с трудом пояснила, что, кажется, речь шла о каких-то акциях, которые, кажется, надо куда-то поместить. Николай спросил, как, по моему мнению, о каких акциях идет речь. Я сказала, что знаю только одни акции — это акции МММ, потому что на них мой папа заработал в свое время тысячу долларов. А его коллега по работе потерял десять. И, как мне показалось, мой ответ вполне устроил моего работодателя. Так что и в этот раз я уже сознательно не пыталась понять суть разговора, который переводила. Голландские мужчины менялись с Николаем какими-то бумагами, они вчитывались во что-то, оживленно спорили о каких-то стоимостях, кричали даже, что это уже невозможно, потому что нефть стоит уже почти втрое дешевле. А Николай объяснял им, что их лично это все не должно волновать, потому что по схеме, которую предлагает их фирма, все будет обоюдовыгодным. Я же все больше думала о том, что, если все так пойдет и дальше, я могу и вовсе тут завязнуть и не успеть убрать все до времени, когда будет пора ехать за девчонками.

— Николай, можно вас на секундочку? — Часам к четырем я все-таки решилась оторвать его от дел, так как тянуть дальше было нельзя.

— Что такое? — нахмурился он.

— Ничего-ничего. Я просто насчет вечера хотела уточнить, — замахала я руками.

Он кивнул и как ни в чем не бывало ответил:

— А кстати, насчет вечера. Я бы хотел, чтобы вы показали Крису и его коллегам Москву. Можете взять мой «Порше», на нем будет удобнее. И они хотели вечером заехать в какой-нибудь приличный клуб. Сергей закажет вам столик и перезвонит. Сопроводите их, они совсем не говорят по-русски. Да, и проследите, чтобы на них там не навешались наши охотницы за олигархами, нам этого совсем не надо, они завтра должны улететь чистыми и непорочными. О'кей?

— О'кей, — жалобно ответила я, превозмогая свое желание ответить, что все это совсем не «о'кей» и не входило в мои планы.

Это был как раз тот случай, когда отказаться было совершенно невозможно. Или теоретически, наверное, все-таки возможно, но только ценой потери работы. На что, как вы понимаете, я совершенно не была готова. Просто никак. Один вечер, один спектакль в театре, да к тому же не премьера, не стоил того, чтобы потерять такую работу. Я это понимала, и все бы это поняли, однако у меня оставался один маленький вопрос — поймет ли это Алексей? Ведь получалось, что теперь в театр с девочками придется идти ему.

— Алло, Леш, привет, — сказала я, когда услышала его голос в трубке. Против моей воли в моем голосе звучали отчетливые виноватые нотки.

— Привет, Юльчик, как ты? — ласково переспросил он.

Ну, тут я все и вывалила, по возможности жалобно и заискивающе. И попросила Лешку не обижаться и попытаться меня понять. У меня голландцы. У меня их много. Целых три штуки, и я совершенно никуда не могу их деть.

— Лешечка, ну выручи ты меня. Пожалуйста. А я потом тебе отплачу. Добром за добро.

— Юль, не надо. Прекрати. Я схожу с девчонками, не переживай. Просто... я хотел сегодня при встрече... Впрочем, ладно, это терпит.

— Чего ты хотел? — моментально напряглась я. А вдруг он хотел признаться мне в любви. Впрочем, что за глупые мысли, с чего бы? И как бы такое допустила Ника?

— Я хотел поговорить с тобой. Но это действительно терпит.

— Поговорить? О чем?

— О нас. О Нике, — пояснил мой муж, отчего настроение мое не улучшилось.

— О Нике? Она что, переезжает? — Я постаралась снова сделать вид, что разговариваю просто со старым другом.

— Да-да, именно об этом нам и надо погово-

272 рить, — согласился Алексей после минутной паузы. — Только не будем по телефону.

— О, конечно, — не стала возражать я, тем более что желание говорить умерло во мне вместе со словом «Ника». Говорить о ней, знать о ней, помнить, что она вообще существует, — все это не входило в список моих любимых знаний. Но думать об этом сейчас было нельзя. У меня в гостиной сидели голландцы, и мне нужно было этим вечером их развлекать.

Я так вошла в роль экскурсовода, что мы катались чуть ли не до самого утра, причем около полуночи к нам присоединился и Николай. Самое смешное, что весь этот вечер я ловила себя на мысли, что делаю именно то, что обычно делал мой муж, когда мы еще жили с ним вместе. Раньше я сидела с детьми, пока он где-то ходил, пил на переговорах, громко смеялся, рассказывал сальные анекдоты и наспех придумывал какую-нибудь подходящую отмазку для меня. Теперь же он сидел в театре с нашими дочерьми, а я допоздна задерживалась на работе и пила с голландцами, прикрываясь сказками о том, что это все — мой прямой долг и обязанность. Нет, пила я из-за Ники, но от этого степень моего опьянения не зависела. Я так сильно хотела забыть о ней и о том, что мне завтра скажет муж, что напилась в стельку. Н-да. Что поделаешь, работа!

ГЛАВА 16,
полная воспитательного потенциала

> **15 октября,
> понедельник**
> *Ой-ей-ей, плохо мне
> Девчонки —
> ни за что!
> Голландцев
> в аэропорт*

Кто из нас не знает, что пить — оно вредно. Вы знаете? Нет? Так знайте, очень-очень даже вредно, потому что, во-первых, вредно для здоровья. Печень, все такое, интоксикация организма, сухость и дурной запах изо рта. В общем, хватает с избытком. Степень полученного удовольствия от выпитого обратно пропорциональна нарастающей боли в области затылка и жжению по всему периметру желудка. А было ли мне вчера хорошо — это-то я как раз помнила с трудом. Помню, что до клуба я еще как-то держалась, но после того, как мы посмотрели Кремль, Красную площадь, Арбат, Садовое кольцо и несколько сталинских высоток, голландцы заскучали, и мы отправились развлекаться. В клубе-то меня и начало нести. Это все, что я помню.

Во-вторых, пить вредно потому, что потом можно не суметь восстановить хронологию событий. А это же очень важно, особенно для приличной женщины, помнить, где и что она делала. А чем я занималась примерно после двенадцати ночи, я напрочь забыла. И что там, в этом черном провале, было — попробуй угадай. Особенно когда мозги почти не работают, а глаза даже открывать страшно.

Меня разбудил будильник в телефоне. Его тонкий, противный писк ворвался в мой сон, и я как ужаленная подскочила на кровати. Судя по звуку, телефон я бросила вместе с сумкой где-то в прихожей. Я простонала и снова легла, приложившись щекой к холодной стороне подушки. В мозгу пробежала вялая мысль, что заселение любовницы мужа в мою квартиру не стоит таких мучений. Я сосредоточилась, пытаясь восстановить в памяти последовательность сбившихся в клубок событий. Вот я пляшу, размахивая шелковым шарфиком, а Николай пьет на брудершафт с какой-то длинноногой красоткой с силиконовым бюстом. Голландцы мне аплодируют и тоже скачут козлами.

— Какой кошмар! — простонала я и попыталась разлепить глаза.

Интересно, сколько времени? Сегодня же мы с девчонками собирались ехать на открытие нового торгового центра в Ясеневе. Подарки, скидочные карты и все такое, но я уже поняла, что пас. Сегодня, пожалуй, я останусь дома и проведу часов десять в горизонтальном положении, стараясь не раскачивать головой вообще.

— Нет, пожалуй, надо встать, — попыталась уговорить я себя. Хорошо бы добраться хотя бы до ванной, чтобы встать под струи теплой воды.

При мысли о воде я окончательно осознала, что вела себя вчера безобразно и теперь расплачиваюсь за все, как настоящий алкаш. И как на все это, интересно, посмотрит Николай? Впрочем, о чем я? Николай всегда рад здоровой пьянке, в какой бы форме она ни происходила. Наверное, действительно большая часть нашего бизнеса и, видимо, политики делается в состоянии алкогольного опьянения. Что ж, все мы имеем возможность оценить результаты нашего отечественного бизнеса. Да и политики тоже. Зато теперь я могу сказать Алешке, что я на работе тоже сажаю печень.

— Так, открываем глаза. По команде, на счет «раз, два, три».

Я решилась проконтактировать с окружающей действительностью и с трудом разлепила веки. Честное слово, лучше бы я этого не делала. Потому что все как-то неожиданно сразу усложнилось. И я оказалась в одной из тех ситуаций, в которые, как я сама всегда считала, нормальные люди попадать не должны. А тут вдруг оказалось, что я лежу... завернутая в дорогую шелковую простыню, практически голая, а рядом со мной, что было уж совсем неуместно, в бессознательном состоянии и тоже голый, лежит один из голландцев.

— Только не это! — Я зажала рот ладонью и быстро выбралась из кровати, едва не потеряв простыню.

Так быстро, как в этот раз до ванной, я никогда не добегала. Через минуту уже стояла в ванной и оторопело разглядывала в зеркале свою помятую физиономию. Что это было? Как могло такое случиться? И вообще, самое ужасное, что я так и не смогла с уверенностью ответить на простой вопрос: «А было ли вообще что?»

Даже после того, как я постояла под холодным душем, ругая себя на чем свет, даже после чашки горячего кофе и трех таблеток аспирина я так и не смогла вспомнить, как и когда я оказалась в одной постели с голландцем, имя которого напрочь вылетело у меня из головы. Голландец, кстати, продолжал спать.

Уже в халате, я на цыпочках прошла в прихожую и подняла сумку, валявшуюся почему-то прямо на полу. Вместе с куртками и ботинками.

— Вот свиньи! — неизвестно кому погрозила я пальцем, а потом выковыряла из сумки телефон и расстроилась окончательно. Все-таки пить вредно по многим причинам. Но главное, как гласит мудрость народа, что у трезвого на уме, то у пьяного на языке. В моем случае на телефоне.

Я увидела десяток неотвеченных вызовов аппарата, последний был сделан около пяти утра, и все они были от моего благоверного. «НЕ БРАТЬ, НЕ БРАТЬ, НИ В КОЕМ СЛУЧАЕ НЕ БРАТЬ!» Это Лешка буквально обрывал мои провода, а самое интересное, как я выяснила из журнала звонков, я тоже звонила ему три раза. А один из разговоров длился сорок минут. С часу двадцати трех до двух часов двух минут. Ох уж эта техническая точность.

«Хотела бы я знать, о чем мы с ним говорили?» — подумала я. А еще я подумала, что не стало ли следствием этих наших разговоров с Алексеем мое появление в одной кровати с голландцем. Э, мать, а вдруг ты решила все-таки выбить клин клином? Клин Крисом, только это другой голландец, не Крис. Ну да неважно это. А важно то, что, по-видимому, вчера ночью в моей жизни происходили весьма важные и значительные изменения, а я о них ни сном ни духом... Интересно, между нами что-нибудь было?

Я стояла в проходе и задумчиво смотрела на спящего голландца. Он был очень худой, с длинными руками и мальчишеской стрижкой. Белый и пушистый. Вернее, белесый и волосатый. Но, кстати, вполне симпатичный. Могла я с ним переспать и забыть об этом? Вообще, могла... Или нет? Раньше у меня был точный ответ на этот вопрос — мне не нужен никто, кроме моего Лешки.

Голландец потянулся во сне и перевернулся на другой бок, предоставив моему взгляду худую костлявую спину.

«И я даже не помню, как его зовут, — усмехнулась я. — Обычно так бывает у мужиков! Фу, позор, а еще честная женщина».

Больше всего меня волновало, о чем же мы все-таки разговаривали с Алексеем. Просто ни о чем, как это бывало между нами последнее время, или о чем-нибудь значимом? Может, он признался мне в чем-то важном? Может, он собирается жениться на Нике? Целые тучи предположений роились в моей голове, но мне так и не удалось ничего вспомнить. Где-то к двенадцати я перестала даже и пытаться. Что толку?

Я перезвонила Машке и хриплым голосом сказала, что заболела и не приеду на встречу.

— Чем это ты там заболела? — участливо спросила она.

— Простыла, — старательно откашлялась я.

Голос у меня был в самый раз для начинающегося ГРИППА, так что вопросов больше мне не задавали.

Я вяло ползала по кухне, изобретая медленный похмельный завтрак на пять человек. Разморозила полуфабрикаты круассанов, сунула их в духовку на слабый жар, открыла имбирный джем, который очень полюбил Николай, от нечего делать нарезала из бананов лодочки, сделала банана-сплит с мороженым. Украсила цветастыми завитками из карамельного и ягодного сиропов, убрала на холод.

— Hello, how are you? — раздался вдруг нежный голос из-за дверного проема.

Я вздрогнула и обернулась. Позади меня, обмотавшись все той же самой простыней, стоял голландец из моей постели. Он улыбался и смотрел на меня так, как может смотреть только тот мужчина, с которым вы были близки. Пусть даже на пять минут, пусть даже по большой пьяни, но были. БЫЛИ!!! Эта мысль и этот его взгляд настолько потрясли меня, что я молча кивнула, выставила перед ним чашку кофе и банана-сплит, после чего покинула кухню в полнейшей прострации.

Я изменила мужу! Считается ли смягчающим обстоятельством тот факт, что я об этом ничего не помню?! Не уверена, что хоть один присяжный в данной ситуации проголосовал бы за мою невиновность. И что теперь? Можно ли считать, что мы в расчете? Если так, то почему меня одолевает непреодолимое чувство вины? Я убежала из кухни, чтобы не встречаться взглядом с этим довольным и объективно радостным голландцем, и теперь стояла в гостиной и смотрела в окно. За стеклом моросил дождик. Серое небо крутило и подбрасывало ветром вверх красножелтые листья, которые полыхали, как маленькие костры, далеко внизу, где-то у земли. Я закрыла лицо руками. Если бы можно было что-нибудь вспомнить... или отмотать вечер назад, чтобы стереть лишнее. Куда-то не пойти, что-то не выпить, от чего-то отказаться. Кому-то ответить «нет». Но дело сделано, и пусть оно сделано не совсем по моей воле, изменить ничего нельзя.

«А он тоже теперь ничего изменить не может!» — вдруг осенила меня простая мысль. Я ведь ничего не знаю о том, как и почему Алексей меня предал. Осознавал ли он, целуя первый раз Нику, что одна ночь может отнять его у меня, а меня у него? Видел ли он дальше своего носа? Ведь все мы порой совершаем то, чего совершать совсем не должны. Что же нам остается?

— Excuse me. I am hearing a phone call. Телефонный звонок, — с искренним удовольствием выговорил на ломаном русском мой безымянный голландец, мой змей-искуситель, нашедший меня снова.

Я улыбнулась ему одними губами и прошла в прихожую. Мой телефон снова разрывался от звонка.

— Я уже иду, я лечу, еще секундочку.

Я подняла аппарат с пола и посмотрела на дисплей. Передо мной мигал вызов от «Не брать, не брать...». Блин, Лешка. Опять. Я смотрела на телефон, как баран на новые ворота, и совершенно не знала, что делать. Что ему известно о моем грехопадении, если даже мне самой о нем известно катастрофически мало? О чем мы говорили? Поругались мы или помирились? Как там поживает Ника? Как прошел вчерашний спектакль? Вопросов много, но где же взять ответы на них?

— Алло? — откашлявшись, сказала я.

— Слава богу, ты жива! — раздался радостный голос Алешки. — Ну ты и даешь, рыбенок. Разве можно так пить?

— Конечно, нельзя, — с готовностью ответила я, анализируя наскоро полученные данные. Итак, он знает, что я вчера пила. Еще бы, ему ли не знать, если мы с ним всю ночь болтали. Вряд ли я могла говорить трезвым голосом. Хорошо, он знает, но почему тогда он такой добрый?

— Ладно, ничего. С кем не бывает. Ох уж эти корпоративы.

— Ага, — с облегчением выдохнула я.

Значит, находясь в совершенно свинском состоянии, я все-таки додумалась и наврала ему что-то пристойное.

— Ты хоть помнишь, о чем мы с тобой вчера говорили? — усмехнулся Алексей.

— Ну, в целом я, конечно же, все помню. Очень отчетливо. А вот в деталях... нет, — аккуратно сообщила я ему.

Алексей рассмеялся. Видимо, вся эта ситуация его порядком веселила.

— Ясно. Амнезийка! Ну, ничего, сейчас все лечат. Ты аспирину выпей.

— Уже, — призналась я.

— Ну, ты просто растешь на глазах. Просто новый игрок в настоящем бизнесе. Главное, с медикаментами не перебери. И не пей слишком много воды сразу, это с похмелья вредно, — заботливо проинструктировал меня муж.

Я пожала плечами:

— А почему?

— Стошнит.

— Ой, нет. Надеюсь, что до этого не дойдет.

— Ладно, ничего страшного. До свадьбы заживет. Кстати, хочешь анекдот? Знаешь, что такое виагра плюс димедрол? — не к месту поинтересовался он.

Я в отупении попыталась представить это сочетание, но не смогла. Мозги не включались никак, да и вопрос, согласитесь, был дурацким.

— Ну?

— Любовь, похожая на сон! — окончатель-

но развеселился Алексей. — Ты когда освобо-
дишься?

— Освобожусь? — Я перевела взгляд на коридор, ведущий в кухню. Кажется, откуда-то уже
вылезли и принялись расхаживать по квартире
Крис и второй голландец, Дени. Надеюсь, ни с
кем из них я не успела переспать.

— Ну, разгрузишься немного когда?

— Я еще ничем даже не начала нагру-
жаться, — огорчила Алексея я. — Мне еще надо
обед готовить. Потом голландцев в аэропорт
везти.

— А, но ты хоть помнишь, что мы договорились встретиться сегодня вечером? — посерьез-
нел он.

Черт, я ни хрена не помнила!

— Я помню, что мы встречаемся, но я не
помню где.

— А мы еще и не договаривались, — снова рассмеялся Алексей.

Он явно ни о чем не знал. И мы с ним явно
ни о чем плохом не говорили этой ночью, потому что его голос звенел от какого-то неожиданно прекрасного настроения. Почти счастья.
Словно он накануне играл и выиграл миллион в
казино, к примеру. Хотя мой Лешка никогда не
играл ни в какие азартные игры.

Я вздохнула и призналась ему, что все-таки я
слишком мало помню, чтобы поддерживать раз-

говор на должном уровне. Я поинтересовалась, как они с девочками сходили в театр.

— Я же вчера тебе все рассказал в подробностях.

— Расскажи еще раз, — попросила я, присев на барный стул в кухне и прижавшись лбом к круглому железному шесту.

Лешка рассказывал, как они с девочками объелись в буфете бутербродов с красной икрой и колбасой, потому что, видите ли, им теперь приходится туго, их дома вкусненьким никто не кормит. Пожаловался, что в театре были очень неудобные места и на креслах совершенно невозможно было расслабиться. Когда он говорил «расслабиться», то, я знала, подразумевал «уснуть». А тут спать было совершенно невозможно, потому что голову некуда было приклонить, и оркестр играл так громко, что он бы все равно просыпался.

— Надо ходить в театр с берушами, — засмеялась я.

Я представила, как было бы здорово, если вчера мы все вместе сидели бы в этом зале, а я бы в шутку толкала Лешку в бок, чтобы он не храпел. А он бы исподтишка, в темноте, просовывал бы руку мне под платье, заставляя меня краснеть. Он всегда так делал в кинотеатрах во времена нашей юности. Ах, эти последние ряды сумеречных залов, где мы иногда так увлекались друг другом, что вообще не запоминали, о чем был фильм. Прямо как я вчера ночью (в смысле, что я ничего не помню). Но не с Лешей, к сожалению.

— Так когда ты приедешь из аэропорта? Во сколько у них самолет? — спросил Алексей.

— Не знаю. Кажется, после четырех. В половине пятого или около того.

— Хочешь, я встречу тебя в Шереметьево? — предложил он.

— Зачем? — опешила я. — И куда я дену свою машину?

— Тогда где?

— Может, после того, как я вернусь? Я бы бросила машину на паркинге, а ты бы встретил меня где-нибудь здесь, неподалеку. Слушай, а кто заберет девочек из школы? Ника? — совершенно случайно ляпнула я.

Даже не знаю, почему. Просто вся эта логистика, связанная с приведением и отведением наших дочек, была очень сложна. И все стало еще хуже с тех пор, как мы расстались. Мы постоянно путались, опаздывали, причем опаздывала теперь в основном я. И постоянно привлекали к этому делу то моих родителей, то Лешкиных, которым это все совершенно не нравилось. Но что поделать. И поскольку я отлично помнила, что вчера Лешка сказал мне, что вроде ему надо поговорить о заселении Ники, я вдруг неожиданно подумала, что он мог ее попросить заехать за детьми. Хотя я согласна, что, если вдуматься, это похоже на бред. С чего бы его любовнице встречать наших детей? Но... я просто ляпнула, а Лешка надолго замолчал. Потом вздохнул, откашлялся и спросил:

— То есть, я так понимаю, ты, моя дорогая, совершенно не помнишь ни слова из того, о чем мы с тобой вчера говорили?

— Ну почему... — заюлила я.

— Потому! — рявкнул он. — Впрочем, я и сам должен был догадаться. Ты была действительно малоадекватна. Несла какую-то чушь!

— Какую? Ну, ты можешь мне сказать, какую я несла чушь? Хоть намекнуть.

— Красота! Моя жена признавалась мне в любви, говорила, что жить без меня больше не может и что готова меня простить. А теперь выясняется, что все это было плодом ее пьяных бредней.

— Простить? — тихо переспросила я. — Но даже если бы я и была готова тебя простить, остается же Ника.

— Нет, ну ты невозможна! Я вчера позвонил тебе и битый час объяснял, что я самый настоящий дурачина. Я же расстался с Никой. Когда я вдруг понял, что потерял тебя навсегда, чуть с ума не сошел. Никто мне не нужен, никакая Ника, и вообще — есть только ты. Я просто

бы не смог выносить ее в нашем доме, это же
невозможно!

— Да? Но ты же ее как-то выносил, когда я
была в Турции? — скривилась я.

— Да, но тогда ты была в Турции и ты была
моя. И это главное. Юлька, я не могу без тебя.
Никак не могу. Я перестал спать по ночам, и даже водка не помогает. Какой же я был идиот!

— Да, был... — зачем-то согласилась я.

— Я все эти дни ждал повода сказать тебе
об этом, но ты так старательно делала вид, что
тебя это не интересует, что мы только друзья теперь, что я просто не знал, с чего начать. А вчера... вчера я решился и специально позвонил.
Ты была такая... такая открытая, что я все сказал... А ты не помнишь!

— Это неважно. Важно, что я с этим согласна! — поспешно заявила я, чувствуя, как мои губы расплываются в широкой улыбке.

— С чем именно? — с надеждой спросил
Алексей.

— Ну... с тем, что ты идиот, — кивнула я и
тут же пожалела. Легкий кивок головы, а какая
боль. Похмелье — это ужасно. Даже не помню,
чтобы я когда-либо раньше была так плоха. Что
все-таки мне подливали эти голландцы?

— Правда? — с облегчением выдохнул Алексей. — Боже мой, у меня же самая лучшая жена
на свете! Умная, талантливая, верная, добрая.

И она меня любит! Знаешь, рыбенок, я больше никогда-никогда не сделаю тебе больно. Ты мне веришь?

— Я верю, — с готовностью ответила я.

Позади меня раздался какой-то шум. Я обернулась. Там Дени шумно пил воду прямо из кувшина, а рядом с ним стоял мой безымянный любовник, уже одетый в светлые тонкие брюки и простую, но очень качественную футболку. Он смотрел на меня, и на лице его блуждала мечтательная улыбка. Я поежилась под его взглядом и с усилием заставила себя вернуться к разговору. Мой муж. Моя любовь. Наше будущее счастье. Он расстался с Никой, я так об этом мечтала! Оставалось только решить, что делать с моей якобы верностью. Может быть, раз уж все так хорошо, не стоит об этом вспоминать?

— Люля, дайте мне кофе. Нам надо чуть-чуть пообщаться, прежде чем вы их увезете. — На кухню, деловой и подтянутый, хоть и с мешками под глазами, вошел мой шеф.

— Здравствуйте, Николай Эммануилович, — быстро ответила я и поставила турку на огонь.

— У тебя там начальник? Давай созвонимся вечером. Я приеду на «Университет», когда скажешь, а девочек заберет мой папа, — с невозможным пониманием и серьезностью разложил все по полочкам Алексей.

Мне захотелось разрыдаться и сказать, что

он был просто обязан прийти ко мне со всеми этими признаниями хоть на сутки раньше. Хотя бы на двенадцать часов! Я так счастлива, я так рада, что готова прыгать до неба. Он меня любит! Какая радость для всех нас! В таком случае надо взять себя в руки и просто отвезти этих чертовых голландцев в аэропорт.

ГЛАВА 17,
в которой секретов становится много даже для меня

> **15 октября, понедельник**
> *Что делать?*
> *Где алказельцер?*
> *Заказать билеты*

Сердце женщины — океан, полный тайн, как говорила старая актриса из фильма «Титаник». Ей-то что, ей уже ничего не надо в жизни решать. У нее уже и внучки красивые, и большая жизнь позади, так что можно взять и — бац! — бриллиант огромной величины плюхнуть в воды океана, обломав кайф целому поисковому кораблю. Действительно, зачем ей бриллиант, когда у нее и так все просто прекрасно. Пусть плывет! Вернее, пусть тонет. А вот у меня не было ни бриллианта, ни большой жизни позади, ни тем более решений ни по одному из моих вопросов. Что мне делать с тем, что я ни слова не помню из нашего с мужем разговора? А ведь дело ясное, что обсудили мы с ним всю нашу дальнейшую жизнь. Отлично. Хорошо, что я хотя бы не послала его куда подальше в этом своем забытьи. И на том спасибо. Значит, мы с ним вроде как помирились. Прекрасно. И вечером мы договорились встретиться, чтобы еще раз, теперь уже на трезвую голову, все обсудить и обговорить. Прекрасная новость, только вот как быть с тем, что надо обсуждать? Например, что, пока он тут расставался со своей Никой, я переспала с голландцем, имени которого так и не узнала. Память девичья, а их тут столько на мою голову. Так рассказывать или нет? Весь день, до самого вечера, я думала только об этом. И когда принимала ледяной душ, чтобы все-таки вернуть себе этот чертов тонус.

— А-а-а-а! — орала я в ванной, принимая ледяной душ. — Никогда не буду больше пить!

— Люля, что это было? — поинтересовался мой босс, с удовольствием рассматривая мое румяное лицо, когда я выползла на кухню снова. Не могу сказать, что мне стало сильно легче, но теперь я могла хотя бы шевелиться.

— Я просто пытаюсь в срочном порядке привести себя в норму. А нельзя никакого шофера вызвать, чтобы их отвезти? А то вдруг меня поймают на алкоголе? Если я дыхну, их трубка просто взорвется, — поделилась я своими страхами.

Но Николай только усмехнулся.

— Даже и не думайте, это все мелочи. Выпейте антипохмелин, которым вы меня поили. Как он там, алказельцер? Или еще чего-то напейтесь и поезжайте. Права ваши, если понадобится, мы отвоюем. Езжайте на «Порше» с мигалкой, его вообще не останавливают.

— Вот и ладненько, — обрадовалась я. — Тогда что вам подать на обед?

— А у вас есть силы готовить? — искренне удивился Николай.

Я вздохнула.

— Сил у меня нет, у меня чувство долга есть.

— Прекрасно, тогда приготовьте мне кислые щи, как в прошлый раз, — сказал он деловито. Да, пожрать он любил, что и говорить, а путь не только к сердцу мужчины, но и к карьере открывается через одно и то же место.

— За щавелем надо бежать, — прикинула я. — Но это ничего, тут рядом есть овощной лоток. Я мигом.

Кислые щавелевые щи — это исконно наше, российское блюдо, которого не готовят, кажется, ни в одной другой стране мира. Всем отлично известен пресный и очень полезный шпинат, но

292 о нашем щавеле никто не слышал. А между тем он незаменим в приготовлении летних щей. Эх, если бы Николай Эммануилович всегда заказывал мне такие простые блюда, я бы имела втрое больше свободного времени. А сегодня времени было в обрез. Однако к трем часам я уже накормила весь свой интернациональный коллектив. Голландцы к щам сначала отнеслись настороженно, но потом, глядя на моего Николая, уплетающего их со сметаной за обе щеки, принялись колотить ложками.

— Ничего нет лучше на похмелье! — крякнул он. — Люль, переведи им.

— It's perfect in this case, — перевела я.

Голландцы заулыбались, закивали и зазвенели ложками.

После обеда я пулей побросала все в посудомойку, быстро подмела пол на кухне и запрыгнула в «Порше» Николая. Конечно, слов нет, как просто преодолевать пробки, если у тебя есть мигалка. И хотя мне лично очень неудобно включать этот отвратительный крякающий звук, когда кто-то не пропускает, машины в основном и без этого стараются не связываться и отступают. Поэтому дорога до аэропорта заняла совсем немного времени, а потом я подождала, пока моих подопечных зарегистрируют у стойки аэрокомпании, помахала им ручкой и осталась в одиночестве. Всю обратную дорогу я плелась, не включая мигалки, потому что мне совсем не хотелось спешить. Мне надо было как-то собрать воедино все пазлы моей неясной картинки. Хоть немного подумать о том, что произошло, прежде чем я приеду и пересяду в Лешкин «Мицубиси». К тому моменту мне уже надо иметь ответ, что делать со всей этой историей. Я набрала номер Машки.

— Скажи, Маш, если бы ты изменила мужу, ты бы сказала ему об этом? — поставила я вопрос ребром.

— Ни за что, — коротко и ясно ответила она. — Если бы только он меня на этом не поймал.

— Ты так быстро ответила, у тебя что, такое бывало? — оторопела я.

Что было хорошо в «Порше», тут телефон подключался прямо к машине и можно было разговаривать, не держа трубку. Где-то в потолке был вмонтирован микрофон, а Машкин голос лился прямо из колонок.

— Ну... не то чтобы у меня. У сестры был такой случай. Вернулся у нее муж из командировки. Только ему это почему-то не показалось так же смешно, как в анекдотах.

— И чем кончилось? — спросила я на всякий случай.

— А то ты сама не знаешь, — фыркнула подруга.

Да, я знала. То есть я знала, что ее сестра развелась с мужем пару лет назад. Мы еще оказывали Машке моральную поддержку в связи с тем, что ее сестра какое-то время жила у нее в квартире, чем страшно Машку раздражала.

— Тогда я буду молчать, — решила я.

— О чем молчать-то? — Машуня моментально увеличила слуховую активность. — Тебе-то о чем молчать, если ты и так с мужем не живешь.

— Теперь будет о чем, — ответила я загадочным тоном, но потом, конечно же, за пять минут все рассказала. И о том, какой счастливый был Лешка, и об абсенте, и о клубе, и, конечно же, о шелковых простынях и голландце.

— Вот и молодец. Теперь вы квиты. Можешь смело возвращаться, только не вздумай ни в чем признаваться! Нечего ему знать, пусть это будет твоя маленькая тайна, — злорадствовала Машка.

Я пожала плечами.

— Маленькая тайна, подробности которой я сама не помню.

— Ну и что? Кого это волнует?! Главное, что ты победила. Лешка признал, что ты — лучшая. И теперь ты можешь вернуться домой победителем. Со щитом, а не на щите.

— Это да, — согласилась я.

Но внутри, где-то глубоко в себе, я знала, что мне все это не нравится. Я бы предпочла вернуться, не имея в арсенале своей памяти безымянного голландца. Я не люблю строить отношения на лжи. Но мало ли чего я не люблю. Иногда всем нам приходится переступать через себя. Вот и я, переступив через себя, подъехала к Лешке, который стоял рядом со своей машиной недалеко от въезда к николаевскому дому.

— Привет, — сказала я, улыбаясь самой солнечной и теплой улыбкой. — Я сейчас припаркуюсь и вернусь.

— Хорошо, — после минуты напряженного молчания кивнул он. Его взгляд, потрясенный и очарованный, был прикован ко... нет, не ко мне. К «Порше», естественно.

— Что, нравится? Это босса. Мне просто надо было успеть в аэропорт, а тут мигалка, — оправдалась я, но он, кажется, меня не слышал. Он обошел машину со всех сторон, краснея и возбуждаясь прямо на глазах.

— Это какая модификация? «Кайена-турбо»?

— Ну, наверное. Я не знаю. Я в моделях не разбираюсь.

— Красавица! — с придыханием произнес Алексей.

— Кто, я?

— А? Что? Юль, давай паркуйся, а то я могу ослепнуть от такой красоты! С глаз долой, из сердца вон. Эх, бывают же тачки на свете. Слушай, а какая у нее мощность?

— Так, все. Я поехала, — расхохоталась я. — А то ты передумаешь и захочешь гулять не со мной, а с «Порше».

— Давай.

С еле скрываемым сожалением Алексей отпустил меня и вернулся к «Мицубиси». Я же только улыбнулась и заехала на паркинг. Все-таки все мужики одинаковы, не наигрались в детстве в машинки. Мы, женщины, тоже не наигрались в куклы, но нам живые куклы выдают в роддомах, и мы можем играться сколько влезет. А что делать им, бедненьким? Только зарабатывать на все новые и новые дорогие игрушки. Если смогут, конечно. А у Николая игрушки были очень крутые.

— Эх, Юлька, как же я по тебе соскучился. — Лешка прижал меня к себе, как только я вынырнула из подъезда.

— Я тоже, — совершенно искренне сказала я. И на какое-то время все эти дурацкие голландцы, все эти проблемы и головная боль вылетели у меня из головы. И остались только мы вдвоем, Лешка и я. И теплая желто-рыжая осень вокруг, а под ногами листья, которые можно подбрасывать вверх и смотреть, как они медленно оседают обратно, на землю.

— Какая ты красивая. Тебе очень идет это пальто. — Алексей посмотрел на меня чуть робким, обжигающим взглядом.

Я вздрогнула и почувствовала, как мурашки побежали по спине.

— Спасибо, — еле заметно кивнула я.

— Как же я давно тебя не видел!

— Ну, почему же давно, — удивленно возразила я. — Мы же виделись на той неделе. Я у тебя девочек забрала, помнишь? Из машины пересадила.

— Нет.

— Как же?

— Нет, я тебя не видел уже давно. На самом деле, кажется, несколько лет. Я не видел, какая ты у меня женственная, какие у тебя красивые глаза, какие плавные движения рук. И как твой голос звенит, когда ты смеешься. И как мне хочется обнять тебя и, кстати, не только обнять. — Он хитро усмехнулся, оглядывая меня снизу вверх. Я поежилась.

— Это я как раз помню.

— Да-да, и снять с тебя это твое шикарное платье, и...

— Можешь не продолжать, — покраснела я. — Дальше я примерно знаю.

— А я — нет. Я кажется, вообще ничего про нас больше не знаю. Почему я был таким дураком? — Алексей помог мне сесть в его машину, завел мотор и тихо тронулся по пустому переулку. Я даже не стала спрашивать, куда мы едем. Это же действительно было совершенно неважно. Мы вместе, вот что важно. И это было похоже на чудо.

— Мы оба были не самыми умными людьми.

— Нет, ты тут ни при чем. Я просто все забыл. Как-то так получилось, что я забыл, какая ты замечательная — моя жена. Ты прекрасно готовишь, ты заботишься о всех нас, ты честная и нежная. А я... я ведь перестал дарить тебе подарки, я ко всему привык. И ты прости меня. Простишь? Скажи, у меня вообще есть шанс?

— Кажется, я вчера тебе все про это сказала, — усмехнулась я.

Лешка тоже улыбнулся, на секунду оторвал взгляд от дороги и перевел его на меня. Потом положил свободную руку мне на колено.

— Ты не представляешь, как я злился, когда ты ушла. Я ведь даже не представлял, что могу вот так в один миг тебя потерять. Навсегда. Просто невозможно. Это какая-то чушь собачья! Но теперь... теперь я не должен совершить ошибки. Так что, моя дорогая, при свете дня, в трезвом уме и твердой памяти ты должна повторить все, что сказала мне вчера, когда была в невменяемом состоянии.

— Тогда тебе придется мне напомнить мои слова. Мне очень жаль, но я и правда ничего не помню. — Я прогнала мысль о голландце, который тоже был где-то там, внутри этой черной дыры.

— Ничего. Сейчас мы поедем к нам домой, и я все тебе напомню. Не на словах, а на деле. Ты понимаешь, о чем я? — хитро улыбнулся Алексей.

Тут я поняла, что сдаюсь. Не могу я больше без него. Надо взять и поехать с ним к нам домой и отдаться ему. И плевать на все, зато мы будем вместе. А про голландца я забуду. Отправлю его туда же, куда отправила Нику. Пусть будут у меня внутри такие две опечатанные зоны, куда никогда ни при каких условиях я не полезу. Смогу ли? Не знаю. Не уверена, но в ту минуту, глядя в эти влюбленные глаза моего мужа, я почти потеряла голову.

— А хочешь, сначала сходим в ресторан? Я знаю, ты не очень любишь всю эту ресторанную еду, но можно выпить по коктейлю. Пойдем в наш бар? — Лешка, соблазнительно улыбаясь, продолжал меня заманивать в свои силки.

— Нет, только не это. Только ничего алкогольного, — совершенно честно перепугалась я.

Пить теперь я не собиралась еще лет пять по крайней мере. И потом, если я выпью, я не смогу остановиться. Рядом со мной мой любимый человек, мой мужчина, которого я знала как облупленного, по которому я скучала как кошка. Я хотела его до невозможности, я. Ведь мы муж и жена.

— Ладно, пить не будем!

— Леш, а ты правда не можешь без меня? Ты ведь больше не думаешь, что я вишу на твоей шее? — зачем-то спросила я.

Да, момент был не совсем подходящий, но мне было важно, просто необходимо знать это. Чувствовать, какое именно место в моей семье или, вернее, в сердце любимого мужчины я теперь занимаю. Ведь, в конце концов, именно ради этого я несколько месяцев назад напросилась мыть полы в доме незнакомого мужчины.

— Нет, ну что ты. Я никогда так и не думал. Но... ты понимаешь, это же очень удобно — так думать. Конечно же, я всегда знал, что ты клад. Но мне и в голову не могло прийти, что ты без меня сможешь обойтись. Теперь уж я такой глупости не допущу, отдать тебя кому-то — ну уж нет.

— И ты готов на все, на все ради меня? Чтобы быть со мной?

— Однозначно. И я уже решил, что нам просто необходимо в ближайшее же время поехать вдвоем куда-нибудь в теплые страны. Пусть будет еще один медовый месяц — только для нас с тобой. Как ты смотришь на то, чтобы смотаться в Испанию? — посмотрел на меня Алексей.

Я счастливо улыбнулась. Вот те самые слова, которые я так мечтала услышать от собственного мужа. Не про Испанию, хотя это тоже хорошо. А про то, что я — клад. И именно их он никогда не соглашался произнести.

— Поехали домой? — спросила я тихо. — Я так давно там не была, что даже страшно.

— У тебя телефон звонит. — Алексей кивнул на мою сумку.

Я встряхнулась и достала телефон. Звонил Николай.

— Люля, мне срочно надо, чтобы вы купили два билета до Сочи. Прямо сейчас. Вылет — завтра. Для вас и меня.

— На завтра? — открыла я рот.

— Да. Это на пару дней. У меня там встреча, я хочу, чтобы и вы там были. Это важно. А сейчас возвращайтесь домой, надо обсудить со мной детали поездки. Я хочу дать вам поручения.

— Прямо сейчас? — ахнула я, глядя на Лешку.

Тот состроил трагическую рожицу и замотал головой: нет-нет, только не это.

Я отключила связь и развела руками.

— Мне надо ехать. У меня же работа.

— Нет, если мы оба будем так пахать, это действительно будет ни на что не похоже, — нахмурился Алексей. — Ты что, куда-то улетаешь?

— Да, кажется. Но это вроде только на пару дней, — успокоила я его. — Я тебе позвоню и все скажу. В любом случае, как только я вернусь, мы увидимся и все решим.

— Поцелуй меня, — очень серьезно попросил Лешка и посмотрел мне в глаза.

Я тоже смотрела на него и понимала, как же сильно я его люблю на самом деле. Я прижалась к его надежной груди, уткнулась носом в его плечо, а потом подняла на него глаза и прикоснулась губами к его губам. Мы сидели так очень долго и целовались. Так, как будто нам снова по двадцать лет. Как будто мы совсем еще друг друга не знаем.

— Приезжай скорее, — прошептал Алексей, высаживая меня из машины. И снова притянул к себе.

— Поверь, я больше всего на свете хочу, чтобы мы были вместе.

— Я верю, — кивнул он, а я выскользнула из его объятий и побежала на парковку к своей «Хонде».

— Люля, что вы так долго? Я же сказал, что нам еще надо все обсудить. И собрать вещи! — звонил мне Николай, взрывая мой мозг, потому что в кассах аэровокзала была страшная очередь.

— Слушайте, я вас умоляю, почему вы поехали за билетами на аэровокзал? Уже давным-давно можно все билеты покупать через Интернет. Люля, я вас умоляю, не расстраивайте меня, мне надо еще в одно место, может быть, на всю ночь. Так что приезжайте домой немедленно, — с раздражением приказал Николай, а я, проклиная себя за недальновидность и идиотизм, снова поехала домой. Действительно, почему я сразу не купила билеты через Интернет? Ведь на дворе двадцать первый век в самом деле, а я как дура отстояла длиннющую очередь. Да еще и Николая разозлила.

И тут вдруг мне пришла в голову странная мысль — а что, собственно, мне теперь делать с Николаем? Нет, правда, вот мы слетаем в Сочи, вернемся, я встречусь с Лешкой, упаду в его долгожданные объятия, а потом? Домой, к кухонному столу, к никому не заметному, тяжелому и, главное, совершенно бесплатному труду? И как я скажу об этом Николаю? Я ехала и думала, думала, но ничего хорошего придумать не могла. Впервые в жизни у меня была работа, которую я любила, несмотря на всю ее сложность и ненормированность. Впервые у меня были свои деньги, которые не надо было ни у кого выклянчивать.

Готова ли я вернуться к прежней жизни? И смогу ли сказать Лешке, что я его люблю, но продолжу работать у Николая и дальше? Не поставлю ли я под угрозу наше пока еще хрупкое примирение? Вопросов было больше, чем ответов, часть из них были теоретическими, часть совершенно практическими. Если я буду работать и дальше, как это отразится на дочерях? Если я буду жить на деньги Лешки, как быстро он снова станет их для меня жалеть? Смогу ли я пережить подобное, если оно случится лет через десять? Найду ли я себе еще одного Николая? Что ж, хотя бы на этот вопрос я могла ответить вполне определенно. Николая больше не будет никогда. Его появление в моей жизни, эта работа, весь этот год — это чудо. Могу ли я этим разбрасываться? А семьей?

Я почти свихнулась, пока доехала от аэровокзала до дома. А там... там вдруг неожиданно выяснилось, что я совершенно не из того выбирала. И что вообще, оказывается, все уже очень сильно изменилось. Только вот меня, как обычно, известить забыли. Хотя сначала все было как всегда. Николай раздавал указания:

— А, вы приехали? Люля, упакуйте мне чемодан. Обычная командировка с переговорами, пару костюмов. И у вас там будет возможность их подгладить, так что утюг не берите.

— Хорошо, — кивнула я на автомате.

— И если хотите, возьмите с собой купальник. Там есть закрытый бассейн. Я так понял, что вы делаете вид, что занимаетесь спортом? Фитнес и тому подобное?

— Делаю, — усмехнулась я.

— Ага, ну так и там тоже сможете его делать, — кивнул он, перебирая какие-то бумаги.

Я пожала плечами.

— Пару дней я могу и перебиться.

— Пару дней? — удивленно посмотрел на меня Николай. — Ах да. Так, подойдите-ка сюда. Я хочу вам кое-что показать. Смотрите.

— Очень красиво, — вежливо сказала я, взглянув на лежащую на столе фотографию. Там на холме, среди каких-то деревьев очень красиво стоял особняк, окруженный высоким кованым решетчатым забором.

— Это то место, куда мы едем. Вот, взгляните еще.

Он протянул мне несколько фотографий. Я не понимала, зачем он мне их показывал с такой настойчивостью, но смотрела и видела обалденно красивое место. По-видимому, какая-то фешенебельная гостиница или что-то вроде того. Большие окна особняка выходили на море, а вокруг по берегу виднелись резные очертания гор.

— Отличные снимки.

— Еще бы, их делал профессиональный фотограф, — заметил Николай. — Так вам нравится? Это похоже на дом вашей мечты?

— Нет, этот дворец куда круче моей самой крутой мечты.

— А вот тот флигель? — допытывался Николай, ткнув пальцем в уютный двухэтажный домик в углу одной из фотографий.

— Этот, конечно, чуть ближе. А вы помните

про мои эти бредни о домике? — улыбнулась я. — Это просто что-то вроде медитации.

— Странно, что вы еще не поняли. Я всегда все замечаю и всегда все помню. А знаете, что я еще умею?

— Все, — искренне ответила я. — Вы прекрасно умеете абсолютно все.

— Спасибо за лесть, но это не так. Я не умею доверять людям. И я не верю в то, что они умеют работать на совесть. И, как правило, я оказываюсь прав. Всегда, кроме некоторых исключений. Одно из них — вы.

— Ну что вы, я самая обычная домохозяйка, — смутилась я.

— Удивительно, что вы действительно так думаете. Вы — домохозяйка? Вы прекрасно работаете, на очень высоком уровне. Почти любая кухня, изысканная сервировка. Вы все успеваете, причем вовремя. Вы прекрасно образованны, хорошо воспитаны, у вас есть чувство стиля и прекрасный вкус. И вы умеете доброжелательно принимать людей, умеете создать теплую атмосферу. И всегда исполняете все до конца, даже если можно было бы и схалявить. Это странно.

— Почему? — удивилась я.

— Ну, потому что обычно это бывает с точностью до наоборот. Ну, неважно. В общем, я понял, что использовать вас в качестве простой домохозяйки — это верх мотовства.

— Да? — тупо переспросила я, догадавшись, что меня увольняют. Только как-то странно увольняют, заваливая комплиментами. И, наверное, в качестве премии проплатят тур в эту гостиницу в Сочи. Было бы здорово, я бы взяла туда Лешку и девочек. Устроили бы что-то вроде внеочередных каникул. Или нет, девочки пусть учатся, а мы бы поехали туда с Лешкой. Ну ее, эту Испанию...

— Да. И я давно уже подыскивал надежного человека для нашей частной резиденции в Сочи. Там сейчас очень много всего происходит, так что нередко переговоры теперь проводят там. И нам надо, чтобы был умный, образованный и ответственный распорядитель, который бы придал нашим приемам особую атмосферу.

— Что-то я не поняла, — окончательно запуталась я.

— А что тут непонятного? Мне нужно, чтобы вы там следили за особняком, за прислугой. Организовывали бы все приемы, иностранных гостей там принимали. Сейчас из-за этой Олимпиады часто переговоры специально организуют там. Тем более что там так красиво. А вы бы следили за кухней, за садом. Организовывали все приемы, устраивали бы гостей. Не сами, конечно. Вы бы управляли, придумывали, следили за исполнением. Впрочем, если вам захочется, можете самолично акварелей подрисовать и насажать еще больше цветов. Если, конечно, у вас останется время, в чем я лично сомневаюсь.

— А это надолго? — нахмурилась я.

— Ну, не знаю. Лет на пять точно, до Олимпиады. А скорее всего, и дольше, — как ни в чем не бывало заявил Николай.

Я вытаращила на него глаза и глубоко задышала.

— Вы что? У меня же здесь девочки! Я не могу их бросить.

— Да вы что, — усмехнулся он. — Я так и понял, если судить по тому, что вот уже полгода все выходные они торчат в моей квартире. Естественно, девочки поедут с вами. В вашем флигеле мечты три спальни, так что места для всех хватит. И есть прекрасная частная школа. Наша корпорация все оплатит. Мне надо, чтобы гости там чувствовали себя как дома, чтобы всем было хорошо, так что, естественно, и вам тоже должно быть хорошо. Берите с собой семью, берите хоть мужа, если хотите. И езжайте. Да, зарплата там будет вдвое больше, но и работа будет ответственней, чем здесь. Верно?

— Верно, — в некотором замешательстве кивнула я.

— Значит, вы поняли. Мы едем, чтобы провести переговоры, а вы заодно познакомитесь с вашим новым местом работы. О'кей?

Вот уж не могла сказать, что все «о'кей».

Предложение действительно было фантастическое, однако все те мысли и сомнения, что я имела до сих пор, теперь утроились. Сочи? Алексей? Я покосилась на оставленные мне фотографии. Флигель был прекрасный. Море прекраснее вдвойне. Частная школа? Зарплата двадцать тысяч? Управлять целой резиденцией? Справлюсь ли я? А если даже и справлюсь, как все это сочетать, если, предположим, ни от одного из этих предложений я отказаться не могу?

ГЛАВА 18,
в которой все встает на свои места.
Включая меня

> **19 октября,**
> **пятница**
> Чемоданы
> Девочек
> предупредить
> Маму с папой тоже
> (кошмар)
> АЛЕКСЕЙ???

Если вам пришло в голову подать на стол десерт на основе меренг, очень рекомендую делать тот, в котором они подаются со взбитыми сливками и свежайшими ягодами. Этот рецепт делала еще моя бабушка, которая была кулинаром от бога. Мама часто говорила, что это у нас семейное, — любовь к высокохудожественному смешению продуктов. Так вот, насчет десерта. Это нечто незабываемое. Только нужны ягоды более-менее твердые, чтобы при размешивании не превратились в месиво. В общем, берете сделанные накануне, белоснежные, хрустящие меренги, такие, чтобы в центре оставалось чуть тянущееся сердечко. Ломаете их на мелкие кусочки, аккуратно смешиваете воздушно взбитые сливки, сладкие кусочки меренги и порезанную клубнику (к примеру) с целой малинкой. Это лучше делать прямо в десертнице. Сверху оставляете чуть видными несколько ягод и поливаете тонкой струйкой натурального домашнего клубничного сиропа. Отдельным любителям дозволяется рисовать сиропом цветы и прочие узоры. Именно это я и решила подать Николаю с утра, после его вечерних переговоров в Сочи, потому что захотелось чем-то особенным порадовать человека. Хотя сначала я даже не была уверена, что эта поездка мне вообще нужна. Когда я еще только летела в самолете, я все думала о том, что это некстати и придется, видимо, отказываться от новой должности, потому что семья и муж — дороже. Я понимала наверняка, что мой Лешка ни за что не станет терпеть отношения по принципу «раз в месяц в выходные дни». А поскольку я мужа любила и терять его снова не хотела, то понимала — по возвращении из Сочи состоится неприятный разговор с Николаем. А далее все было грустно. Возвращение на содержание к моему хоть и раскаявшемуся, но все-таки ненадежному супругу меня сильно не вдохновляло. И потом, за все это время я привыкла к тому, что у меня водятся деньги. Я их даже не особенно тратила, проживая фактически на всем готовом, но сам факт, что в любую минуту я могу сама решать, что и куда тратить, был очень приятен. В общем, ядовитые пары независимости уже отравили мой организм, и в кабалу к мужу идти не хотелось. Но и в то, чтобы Алексей возьмет да и поедет со мной к месту моего нового назначения, мне как-то не верилось. Так далеко я даже в своих фантазиях не заходила.

Однако иногда не мы решаем наше будущее, а скорее наше будущее решает нас. Пока я раздумывала о том, как мне быть и как разрешить мою финансово-рабовладельческую дилемму, присланная за нами к аэропорту в Адлере машина уже везла меня по узкому приморскому шоссе, а я неуловимо и неумолимо очаровывалась светлой морской далью и зеленью горных вершин. И вот когда все мысли отступили прочь, оставив место одному только детскому восторгу от неожиданного путешествия, машина сделала неожиданный поворот, свернула с основной трассы и углубилась вверх, по еле заметной дорожке, укрытой среди деревьев.

— Вам нравится? — спросил Николай, еле заметно улыбнувшись.

— Очень красиво, — кивнула я.

— Если все пойдет хорошо, вы будете здесь жить, — заверил меня он.

И еще раньше, чем я успела ответить ему, что я боюсь и у меня совсем другие жизненные планы, мои страхи разлетелись вдребезги от одного только вида будущего рабочего места. На самом верху, на очень красивом плато, буквально утопая в зелени, стоял большой и солидный дом. Белый, с колоннами и великолепной ухоженной клумбой на въезде. Совсем как на фотографии, только в жизни его прекрасный облик был раз в десять лучше, ведь к нему прибавились скрип кованых ворот, крики чаек, шум листьев, порывы ветра, запах цветов.

— Боже мой! — только и смогла прошептать я. Этот дом — воплощение самых смелых моих грез, не слишком большой, но и не маленький, без архитектурных излишеств, но выстроенный давно и с большим вкусом. И прекрасный, чуть запущенный сад. Из всего этого можно было делать открытку или рекламный плакат.

— Ну, как? — усмехнулся Николай.

Я только хлопала глазами, не в силах вымолвить ни слова. Конечно же, в этот момент я поняла, что буду работать здесь, как бы к этому ни отнеслись мои близкие. И за одно то, что Николаю вообще пришла в голову идея предложить мне эту работу, я готова была завалить его любыми десертами. Поэтому-то я и остановила выбор на бабушкиных меренгах. Вообще-то, у них тут, конечно же, был свой штатный повар, который готовил основное меню и мог сварганить любой десерт, но я решила, что все сделаю сама. И вот вечером, после того как сопроводила босса везде, где было нужно, а также обойдя кругом здешнее хозяйство, я закрылась на своей уютной кухне во флигеле, где в будущем могла бы жить, и весь вечер возилась с меренгами, чтобы с утра, еще до того, как Николай проснется, подать ему самый сказочный десерт на свете. Мне просто хотелось сделать этому человеку что-нибудь приятное за то, что он так сильно поменял мою жизнь. И показать, что он не ошибался насчет меня. Что я не подведу его. Резиденция будет процветать, крепнуть и становиться красивее с каждым днем. Потому что это действительно был он — дом моей мечты, из моей сказки, которую я много лет рассказывала себе на ночь. Самый прекрасный дворец на свете. И хоть мне не было предложено стать здесь королевой, мне более чем хватило должности главной штатной Золушки королевства. Глядя на бескрайнюю морскую синь, открывающуюся передо мной и простирающуюся так далеко, как только хватает глаз, я почувствовала вдруг, что я — живу. И целый час я разукрашивала ягодный десерт, рисуя на белоснежных сливочных облаках ягодных бабочек и птиц.

— Люля, я не понимаю, почему вы ничего подобного не делали раньше? — недовольным тоном пробурчал Николай, отведав мое угощение. — И что, теперь, чтобы попробовать вашего десерта, мне надо будет переться в Сочи? Я начинаю подумывать, что я сглупил.

— Господи, если только захотите, я примчусь по вашему зову и буду кормить вас, пока вы не застрянете в двери, — расчувствовалась я.

— Как Винни-Пух? Нет уж, лучше мы к вам, — примирительно пробормотал Николай.

Мне же оставалось только развести руками. Конечно же, я была согласна на все. Особенно меня устраивала частная школа для дочерей и этот прекрасный уютный маленький двухэтажный домик для моей семьи, из скольких бы человек она ни состояла. Первый этаж — симпатичная деревянная кухня в стиле кантри, рядом с ней гостиная с большим диваном, а из нее вела дверь на террасу, с которой открывался прекрасный вид на море. На втором этаже располагались три уютные спаленки и две ванные комнаты — одна для хозяев, другая для их детей или гостей, это уж кому что нужно, кто с кем планирует разместиться. С кем планирую разместиться я, было пока неизвестно. Я ходила по дому и не могла поверить, что уже через месяц буду здесь жить. Смотреть телевизор, делая его звук погромче, потому что сегодня штормит и море как-то особенно сильно шумит. Я буду спать, слушая размеренный шум прибоя. По утрам я буду вставать пораньше, чтобы побегать по каменистому берегу. Я буду всегда брать с собой немного хлеба, и чайки, которые прознают это, будут лететь по берегу моря, держась недалеко от меня в ожидании угощения. Я буду работать в саду, укрываясь от яркого солнца соломенной шляпой с огромными полями.

Мои новые обязанности были многочисленные и сложные. Считалось, что я должна организовать работу прислуги так, чтобы главный дом, а также сад, подъездные пути и все вообще сияло и блистало, как на параде. Мне также надо было составлять меню, принимать и развлекать гостей и обеспечивать их покой и сон до и после переговоров. Вести диалог с пиар-службой на случай, если в резиденции будет запланирована телевизионная съемка. И еще следовало подписать бумагу о неразглашении секретных сведений. Ничего, никому, никогда.

Официально я все должна была подписать при переезде на новое место, а пока что я просто вошла в курс дела, познакомилась со здешними обитателями, коих оказалось человек пять, и отбыла обратно в Москву, где у меня оставался нерешенным один вопрос.

— Слушай, бросай ты эту работу и приезжай ко мне, — сказал Алексей, стоило мне только приземлиться на родной земле. Он вызвался меня встречать, но это было совсем необязательно.

Он приехал, но самолет сильно опоздал из-за каких-то проблем в расписании, так что Лешка был вынужден уехать на работу, так меня и не дождавшись. Вот теперь он и злился, но почему-то не на аэропорт, а на мою работу. Мужская логика! Неважно, но от одной этой его фразы «бросай работу» меня просто бросило в дрожь. Знал бы он, до какой степени я не готова бросить работу. Да я уже завтра еду подписывать все эти соглашения, подписки о неразглашении и контракты. Уже завтра я буду домработница государственного значения!

— Я не могу ничего бросить, — аккуратно ответила я. — Если хочешь, давай встретимся после работы.

— Приезжай домой, — тут же согласился Лешка.

Я замотала головой.

— Нет, давай лучше встретимся около меня.

— И чем мы там, у тебя, будем заниматься? — искренне удивился он.

Я поняла, что в его планы входил секс и только он, родимый. И в другое время не имела бы ничего против, но сейчас у меня были другие планы.

— Нам надо сначала поговорить.

— Хорошо. Я приеду часика через два, — с легкостью согласился Алексей.

У меня на душе становилось все тяжелее и тяжелее. Ну как я сообщу ему новость. Как у меня язык повернется?!

Но язык меня не подвел и был готов выговорить все, что я посчитаю нужным.

— Понимаешь, мне предложили одно место... — издалека начала я, когда мы с мужем наконец-то встретились в кафе около моего дома. То есть не моего, конечно, а Николая. Кафе было самым обычным, но кофе там готовить все-таки умели.

— Место? О, я тебя умоляю, зачем тебе теперь это место? Я все возьму на себя. Дорогая, я уже присмотрел нам с тобой путевочку. Мне предложили горящий тур, так что, если все будет хорошо, мы можем оказаться в Испании уже через неделю! — радостно вещал Алексей.

Мне стало совсем плохо.

— Ты еще ничего не оплатил?

— Нет, а что? У тебя что, паспорт закончился? — забеспокоился он.

Я тяжело вздохнула.

— Дело не в этом. Я не думаю, что с Испанией — это хорошая идея.

— Ты не хочешь? Тогда давай поедем в Таиланд. Мне дали премию, так что сейчас я все могу тебе предложить, — тараторил он.

— Да подожди ты! — взвизгнула я, понимая, что он вообще меня не слушает. Как и всегда, Алексей все решил и дальше внимал только самому себе и приемнику со спортивными новостями. Приемника в кафе не было, так что он слушал только сам себя.

— Юль, все в порядке? — нахмурился Алексей.

— Я не знаю. Не уверена. Дело в том, что мне предложили одно место, и я согласилась его принять: Оно не в Москве.

— Что-что? — замотал головой Алексей. — Что значит — не в Москве? Где, на Рублевке? Нет уж, пусть эти бонзы поищут другую половую мойку. Мы и сами справимся. И потом, как ты будешь туда ездить? Это же часа два одной только дороги!

— Не на Рублевке. И никакой дороги. И вообще, дело не в этом. Ты не хочешь, чтобы я работала, верно?

— Да, не хочу, — согласился Алексей.

Я кивнула.

— И сейчас ты думаешь, что справишься, но на самом деле я знаю, как это будет, — вдруг с неожиданной твердостью заговорила я. Кажется, я так с ним не говорила ни разу в жизни. — Мы съездим в Испанию или куда я захочу. Мы действительно очень любим друг друга, так что это будет прекрасно...

— Обязательно, — вставил Алексей, но я остановила его одним взмахом ладони. Он перестал улыбаться и внимательно посмотрел на меня.

— Да, это будет прекрасно, а потом мы вернемся. Я буду сидеть дома и тратить твои деньги. Мне захочется купить белых грибов для соте или новое платье, или даже просто новый кухонный комбайн, чтобы готовить. Сначала ты будешь все выполнять по первому желанию, а потом ты подумаешь, что у меня уже достаточно платьев. Потом ты решишь, что нет никакой разницы, как резать: руками или комбайном. Тебе покажется, что я трачу на семью слишком много денег... Я буду сидеть дома, буду всегда тебя ждать...

— Юля, что ты такое говоришь?

— Все так и будет, — упрямо замотала я головой. — А потом ты опять решишь, что моя любовь будет вечной, как бы ты со мной ни обращался. И что тебе больше ничего не надо делать для наших отношений. А однажды я снова обнаружу, что ты снова решил, будто я ничего

320 не стою. И что ты меня только терпишь рядом с собой.

— Я тебе обещаю, этого не будет, — побледнел Алексей.

— Я тебе верю. И я действительно верю, что это любовь. Только на сей раз так получается, что мне недостаточно от тебя только слов. Сегодня мне нужно от тебя другое.

— Что?

— Чтобы ты пошел за мной на край света.

— Куда?

— В Сочи.

— КУДА??? — совсем другим голосом переспросил мой муж. — В СОЧИ? ТЫ С УМА СОШЛА?

— Нет, дорогой, я нормальнее, чем тебе кажется. Меня назначили управляющим в одну частную резиденцию. Там большой дом у моря, которому нужна рука профессионала. Я буду вести этот дом, устраивать приемы, помогать в организации переговоров и всяких корпоративных праздников. Там прекрасный сад, в котором я буду выращивать цветы, а рядом, на холме, с видом на море — маленький белый домик с тремя спальнями, большой гостиной и террасой прямо на морскую сторону. Это может быть наш дом. Мой, твой и девочек.

— Бред, бред, — бормотал муж, в ужасе мотая головой. — А что я там буду делать?

— Не знаю. Но ведь, наверное, найдется

что-то и для тебя? Главное, ты будешь с нами. Со мной. Мы будем вместе!

От волнения я говорила очень быстро, мне хотелось успеть и закончить раньше, чем Алексей встанет и убежит. Даст ли он мне договорить?

— Там есть частная школа для наших детей. А моя зарплата позволит нам существовать совершенно безбедно.

— Зарплата? Почему ты считаешь, что деньги решают все? — злобно переспросил Лешка.

Я вспомнила, как не очень давно сама задавала ему тот же самый вопрос.

— Потому что, дорогой, это лучше для меня и для наших детей. И еще, дорогой, потому что я не хотела бы снова упасть на твои руки. Однажды это для меня плохо кончилось. Теперь я предпочитаю быть с тобой, но стоять на своих ногах. И последнее, но самое главное, — это двадцать штук баксов. Каждый месяц. Моя белая и пушистая зарплата. А ведь сейчас кризис, дорогой. Ты уверен, что с твоей работой ничего не случится?

— Да, я уверен! — рявкнул Алексей. — Мы расширяемся. Я буду запускать несколько линий. Совершенно новых. Производители теперь разоряются, но пельмени нужны всем. Это же дешевый корм для людей, так что у меня все хорошо. Конечно, не двадцать штук, но семью я прокормить смогу.

— Речь не об этом, — устало возразила я. — Речь идет обо мне. У меня больше такого шанса не будет никогда.

— И не надо, — прищурился Алексей. — Мне нужна жена, а не бизнес-леди.

— Если бы это было так, то между нами не вклинилась бы Ника, — заметила ему я. — Впрочем, давай-ка мы с тобой не будем ничего решать прямо сейчас. Мне надо уезжать через месяц. Это не обсуждается, я еду, я все решила. А ты — захочешь, приезжай. Тебе нужно будет только купить билет.

— Да чего тут решать, — злобно пробурчал Лешка и схватил салфетку.

Я видела, что вся его жизнь, как говорится, пролетела у него перед глазами. Наша дружная семья, где он всегда был царем и богом. И ему всегда нравилась эта роль. Мы жили его жизнью, а тут вдруг у меня откуда ни возьмись появилась своя. Вряд ли он был к этому готов. Я видела, как он мысленно вспоминает свою работу, свой комбинат, свою фирму, где он получил место с таким трудом. Я прекрасно его понимала. Как такое бросишь? А как же друзья? Рыбалка и походы на футбольные матчи на стадион «Динамо»? Но сейчас была та самая ситуация, когда надо было либо начинать все заново, либо лучше уж не начинать ничего вовсе. И, кстати, я все-таки решила не оставлять никаких белых пятен на нашей карте. Вернее, никаких черных дыр.

— И еще одно, дорогой. Если вдруг ты решишь, что наша семья для тебя дороже твоей работы, хоть по твоему виду я понимаю, что не так, — грустно улыбнулась я, — ты должен знать еще кое-что. Кажется, за то время, что мы были порознь, я все-таки тебе изменила.

— Что?! — моментально напрягся Лешка.

— Понимаешь, ты говоришь, что любишь меня, потому что я честная. Так вот, я решила, что надо соответствовать твоим ожиданиям. Да, кажется, я все-таки тебе изменила, — развела я руками.

Алексей с усилием закручивал салфетку в тугую спираль. От напряжения у него даже побелели костяшки пальцев.

— Значит, я все-таки был прав. И этот Николай тебя продвигал, как свою любовницу. И теперь ты хочешь, чтобы я поехал за тобой, а ты бы на него работала? Может, он даже будет нас навещать?! А я вам что, должен свечку держать?

— Какая же у вас, мужиков, фантазия! — рассмеялась я. — Только работает она в одну сторону. Нет, это не Николай. Это один из голландцев. Я даже не помню, как его зовут. Я вообще с той ночи ни черта не помню.

— То есть это было, когда мы с тобой говорили о нас? — уставился на меня Лешка.

Я вздохнула.

— Хотела бы я сказать, что нет. Но на самом-то деле я не знаю. Все может быть. Я только знаю, что утром я проснулась с ним в одной постели, и, судя по его виду, что-то между нами все-таки было. А что — я не знаю. Но я была... голая и в одной простыне.

— Кошмар, — не нашел больше слов Алексей.

— Он самый. Такая фигня, — жалко улыбнулась я. — Вот и получается, что теперь ты должен простить меня, да еще и работу бросить.

— И ты что, думаешь, это реально? — спросил Лешка.

Я пожала плечами и встала. Мне пора было идти к Николаю. Скоро ужин.

— Я думаю, что если ты действительно любишь меня так, как говорил, то да. Что тут такого? В конце концов, ведь прощаю же я тебе абсолютно все. И обещаю, что если ты решишься на это, я буду это помнить и ценить всегда.

— Юль, честное слово, это все так непросто. Вряд ли я смогу...

— А кто говорил, что будет легко? — усмехнулась я и накинула плащ (кстати, классный плащ, я купила его на одной распродаже).

— А есть хоть один шанс, что ты передумаешь? — спросил Алексей. По его лицу можно было понять, как мучителен тот выбор, перед которым я его поставила.

— Знаешь, если бы я не видела этого дома в Сочи — да, был бы. А теперь — нет. Это то самое место, в котором я хотела бы жить. Конечно, лучше, чтобы с тобой. Но, на крайний случай, девочкам там будет очень хорошо. И потом, мы так долго жили там, где хотел ты. Для разнообразия попробуй и рискни...

— Мне слишком многое придется ставить на кон, — сказал он, отводя глаза.

Тогда я помотала головой, улыбнулась и пошла к выходу. Что ж, по крайней мере, я все сказала. И уж теперь мне к этому совершенно нечего было добавить. Правда, почему-то мне совсем не стало легче. Знаете, ведь обещают же, что, если сказать правду, облегчить совесть, после этого станет хорошо. Так вот, мне хорошо не было. А было мне вполне даже плохо. И все же, надо сказать, оно того стоило.

Мой муж не побежал за мной вдогонку, он не сказал, что вместе мы что-нибудь придумаем. И что вариант расставания в любом случае не рассматривается. А это значит, что все его предыдущие слова о так называемой большой любви ничего не стоили. Это были просто слова, и не больше. И что в действительности он только хотел снова вернуть себе тот удобный и приятный со всех сторон образ жизни, при котором он — счастливый отец большой дружной семьи, с уютным домом и красавицей женой. Что ж, его тоже можно понять. У всех есть свои причины и свои следствия, и каждый ходит по собственному кругу, из которого никак не может вырваться. Меня бы тоже ничего не расшевелило, если бы жизнь не взяла и в один прекрасный момент не выкинула меня за пределы круга. А теперь... теперь зато я сама могу решать, что буду делать и как проживу свою жизнь.

ГЛАВА 19,
в которой все переворачивается вверх ногами

> **28 октября, воскресенье**
> ПРОДОЛЖАТЬ!!!
> *инструкцию к цветам и пр.*
> *Серьезный разговор?*
> *Экстренное собрание —*
> *«Шоколадница»*
> *Папе школу*
> *Дашке мусс д/волос с собой*
> *Машину помыть*

Ничего я все-таки не умею, ничего не могу. К этому выводу я пришла, в сотый раз пытаясь выполнить последнее и, как сказал Николай, главное мое поручение, которое я должна была закончить до того, как отчалю в далекие края. И с этим поручением у меня были одни проблемы. Состояло оно в том, чтобы расписать по дням и часам, что именно должна делать моя будущая преемница — новая домработница Николая, которую вскоре собиралось прислать агентство. И чего, соответственно, она была делать не должна. Например, должна была добавлять в апельсиновый сок лед, потому что Николай так закалял горло. И не должна была пылесосить, если он дома, — его это раздражало. И таких вещей было, как оказалось, тысячи. Казалось бы, чего проще — вспомнить все, что я делаю день за днем, и просто изложить на бумаге. Вернее, не на бумаге, конечно же, а в виде простого файла Word, однако я стирала уже третий вариант, понимая, что совершенно не знаю, как этот трактат писать, что именно за чем делать и в какой последовательности. То я начинала расписывать, как ухаживать за цветами, и у меня получалась целая отдельная драконовская инструкция, выполнить которую полностью не получилось бы даже у меня самой — так все было непонятно и путано. Я начинала все редактировать и в результате все стирала вообще со словами «к чертям свинячьим!» и принималась изливать мысли относительно ухода за полами и мебелью, только чтобы вскоре осознать, что это-то уж точно и без меня каждый дурак знает. Главное, у меня не было никакой системы, чтобы человек, который придет на мое место, мог просто взять бумажку и тупо исполнять все пункт за пунктом. Один сплошной хаос и головная боль, от которой я устала страшно. А тут еще Николай вчера позвонил и сказал:

— Я тут подумал: перепишите-ка мне все ваши основные рецепты.

— Все-все? — в ужасе переспросила я.

— Ну, основные. Чем больше — тем лучше. Странно все-таки, что я вас отпускаю, — пространно заявил он и повесил трубку.

Тут я, как говорится, приехала окончательно. Как переписать все мои основные рецепты, если я и сама их помню с трудом? Часть я узнала от бабушки. Часть подсмотрела по телевизору или в Интернете, а еще одну, немаловажную часть придумала на ходу и тут же забыла. Как я их-то должна переписать? И потом, как я выбираю рецепт? Если бы знала! Я встаю утром, смотрю за окно, какая там погода, потом иду на кухню, открываю дверцу холодильника и... начинаю готовить. Абсолютная импровизация. Но как я это напишу? Если будет снег, делайте огненно-красный борщ, от него теплее? А в дождливую погоду рекомендую варить глинтвейн или грог? И что, от такого трактата будет какая-то польза?

В общем, я мучилась страшно, а под конец не выдержала и решила оставить эту затею.

Я назначила на утро воскресенья внеочередное заседание в «Шоколаднице» рядом с моим домом. Девчонки поломались, но пришли. Еще бы, новость о том, что буквально через каких-то пару недель я отбуду в дальние края, потрясла всех до глубины души.

— Ты что мандражируешь? — Не успела Машка плюхнуться рядом со мной на диванчик, как приступила к оказанию моральной поддержки. — Напиши несколько любых рецептов, и пусть он будет счастлив!

— Несколько? Да я ему постоянно готовила что-нибудь новое. И я вообще не помню теперь — что! — билась я в истерике.

— Рецепты мы тебе сейчас все перечислим. Что ты там делаешь с мясом в вине? Это обязательно пиши. И еще я очень люблю твои круассаны с кремом, как ты только их лепишь, не понимаю, — сказала Любка

— Пусть перепишет пампкин-пай, и мне вышли копию, — вставила Каринка.

— Так, а мне... мне будь добра рисовую свою хрень с грибами и гребешками напиши, — добила меня Машуня.

Я захохотала.

— Девки, я думала, вы мне поможете. А вы

норовите ударить в спину? Теперь я еще и вам все должна написать по тетрадке рецептов?

— А ты как думала? Мы тут привыкли, что ты всегда рядом, под рукой. И к тебе можно забежать, перекусить. Или вообще плотно пообедать, — недовольно заворчала Маша. — А ты куда — в Сочи! Я бы тоже тебя не отпустила!

— Маш, не надо об этом. — Каринка дернула ее за рукав, но, конечно же, было уже поздно. Надавила на больную мозоль. Ведь мой муж за всю неделю так ни разу мне не позвонил и даже не попытался снова объясниться.

— А что ты хочешь, ему же тоже тяжело! Ну не могут мужчины ради женщины все бросить, не могут, — стали увещевать меня подруги.

— Но мог бы хотя бы позвонить, — всхлипнула я. — Ведь ни одного звоночка! Я же уеду с девочками, неужели ему это безразлично?

— А что они-то говорят? — полюбопытствовали все.

Это действительно было интересно, потому что, вопреки обычному, ни Дашка, ни Лилька так и не смогли сказать мне что-то, наводящее хоть на какие-то мысли. Папа ходил по дому, погруженный в себя, питался пельменями собственного производства и с дочерьми говорил пространно, соглашаясь практически на все. Как сказала Дашка, даже если бы она у него сейчас попросила сигаретку, он бы ответил: «Конечно, доченька. Возьми сама, они в куртке, во внутреннем кармане».

— Вот видишь, переживает, — заверила меня Дашка.

— Ну и что? Попереживает да и вернется к Нике. Все они, мужики, такие. Может, передумаешь? Останешься? — качала головой Маша.

Я опустила глаза:

— А ты бы осталась?

— Да ни за что! — хором ответили подруги, после чего мы все-таки сосредоточились на моих инструкциях.

И к обеду на нашем столе появились четыре выпитые (по два раза) чашки кофе, около десяти тарелок из-под пирожных, от которых мне было уже почти плохо, и еще появился черновик — плод наших совместных трудов. Трактат на двенадцати листах, озаглавленный «Инструкция по обслуживанию Николая Эммануиловича, пособие с практическими советами и примерами».

— Как-то все кривовато, не кажется? — чуть-чуть сомневалась я, рассматривая пункты с первого по пятый:

«1. Ни в коем случае никогда не будить по утрам, даже если он сам об этом просит.

2. Всегда быть готовой как минимум к пяти гостям, иметь все для канапе.

3. Внимательно следить, чтобы не кончилось

виски (Сергей тоже следит, но он может забегаться, и тогда быть беде).

4. Никогда не трогать хозяйский письменный стол, даже если на нем что-то протухнет (можно сверху попрыскать туалетной водой).

5. Никогда не спрашивать, понравилось ли блюдо, все равно не ответит (можно ориентироваться по хмыканью)».

— Нормально-нормально, — заверили меня подруги и предложили остальное доработать по ходу процесса. — Главное, ты очертила фронт работ. А бытовой раздел вообще получился шикарный. Протирать кафель в ванной не реже раза в неделю. Если учесть, что ванных у вас там две, да еще и гостевой туалет размером с мой гараж, остается только пожалеть твою преемницу.

— Пусть привыкает! — фыркнула Машуня.

К слову сказать, поначалу она делала косвенные намеки, что она и сама была бы не прочь заместить меня на этом сложном и неблагодарном (в кавычках, конечно же) посту. Ну, раз уж надо. Однако чем больше продвигалась наша работа над инструкцией по обслуживанию, тем меньше романтического томления оставалось в ее глазах. Под конец она решила, что все это не окупят даже и десять штук, и в отместку заставила меня вписать туда пункт «перечищать всю обувь до блеска четыре раза в месяц».

— Это же получается, каждую неделю, — возмутилась Каринка. — Зачем перечищать всю? Пусть чистит ту, в которой он ходит.

— Нет, пусть чистит всю! — потребовала мстительная Машка.

Я усмехнулась и подумала, что шанс использования моего трактата в реальной жизни столь мал, что можно вписывать туда вообще что угодно, вплоть до ежедневного надувания шариков для встречи хозяина и выпускания праздничного салюта в честь его приезда. Интересная, кстати, мысль!

— Ладно, девчонки, хватит, — поставила я точку и спрятала листы. — В любом случае мы хотя бы переписали основные блюда. Я могу даже пририсовать сюда схемы в картинках, новая домработница все равно не будет делать все это, как я.

— Конечно, она все будет делать по-своему, — кивнула Люба. — И что тут плохого?

— Я попала к нему в дом, когда мне было так плохо, что я готова была всю себя положить, лишь бы у него в доме стало хоть немного красивее. Хоть немного уютнее. Вряд ли она будет так же его любить.

— Да уж, любить все, что попадется под руку, умеешь только ты, — пожала плечами Машка.

Я улыбнулась.

— Одно жаль, что этого я не могу всунуть в инструкцию. Ладно, мне надо идти, девчонки.

— Но понедельник-то не отменяется? — уточнили подруги. — Ты завтра сможешь?

— Ой, я не знаю. Наверное, смогу. Это все-таки предпоследний понедельник!

— А хочешь, мы сейчас можем встречаться вообще каждый день? Кто нам запретит?

Девчонки старались меня успокоить и поддержать как могли, и я, честное слово, была им за это очень благодарна. Очень благодарна, но... хоть я и старалась как-то держаться, бодриться и делать вид, что совсем не думаю об Алексее, естественно, я о нем думала. Как я могла так ошибаться в нем? Пусть он иногда казался мне вздорным и ворчливым, ленивым и капризным, но все равно он был веселым, ласковым и добрым, а главное, он любил меня. Стоило мне закрыть глаза, как передо мной против воли всплывали наши первые свидания, быстрые горячие объятия в подъезде дома моих родителей. Бурные ночи, когда его родители уезжали на дачу. И тихие, полные нежной любви, пока в маленьких кроватках сопели наши дети. Кто был тот человек, готовый носить меня на руках, когда я, лохматая и растрепанная, выходила из роддома? И кто этот мужчина, который даже не пытается хоть что-то решить? Может быть, спроси он меня еще раз, скажи он, что это по-настоящему для него важно, — я бы и осталась с ним. Не знаю, правда, как, но мы могли бы что-то придумать. Приезжать друг к другу, писать письма, е-мейлы. Любовь можно сохранить, если есть желание ее сохранять. Я не могла поверить, что Лешке это больше не нужно.

Я выходила из «Шоколадницы», когда мой телефон сказал «о-о!» и выбросил на экран эсэмэску. Я даже не сразу решилась вскрыть ее, вдруг почему-то вспомнив, как однажды такой же вот маленький желтенький конвертик на экране другого телефона разрушил всю мою прежнюю жизнь.

— Чего там? Все в порядке? — спросила меня Каринка, заглянув в экранчик через мое плечо.

— Ой, это от него, от Лешки, — тихо выдохнула я, открыв конвертик.

— И чего он хочет? — подскочили ко мне девчонки.

Я прочитала сообщение:

— «Ты сможешь сегодня заехать к нам? Мне надо с тобой поговорить. И ты должна кое-что забрать».

— И что это значит? — нахмурилась Машка.

Я вздохнула и закрыла письмо.

— Ничего это не значит. Будем прощаться и делить имущество, я так понимаю. Мне и правда надо забрать документы девчонок, нужно сделать им выписки из медицинских карт. И я хотела собрать свои драгоценности, так что и вправду заеду, пожалуй.

— Ну, удачи, — со скорбными лицами кивнули подруги, и мы разошлись по машинам.

Я перезвонила Алексею, сказала, что могу заехать прямо сейчас, если он дома.

— Да, я дома, но сейчас не могу говорить, — сухо ответил он.

— А что ты делаешь?

— Не могу сказать. А ты не могла бы приехать часа через полтора-два? — так же напряженно переспросил он.

Я не стала возражать. Зачем? Что мне стоит пока пойти домой и еще пописать инструкцию? Нет, писать после разговора с ним я не могла. У меня не укладывалась в голове мысль — мы с Лешкой и вдруг чужие люди! Разве такое может быть? Разве это правильно? Мы же были вместе, почему мы вдруг оба стали так одиноки?

Я посидела немного у компьютера, делая вид, что работаю, но на самом деле механически перебирала ссылки на свои любимые кулинарные сайты и смотрела разные рецепты, не вчитываясь по-настоящему ни в один, а потом стала собираться. Через два часа я уже стояла на площадке напротив двери своей квартиры. Я позвонила в дверь. У меня был ключ, но я уже не чувствовала себя здесь по-настоящему хозяйкой. И потом, мало ли чем там Лешка занят?

— Леш, ты дома? — громко спросила я, открывая дверь в прихожую.

В доме было тихо, но при этом как-то неприятно пахло. То ли сгоревшей едой, то ли каким-то варевом из неправильных продуктов.

— А, Юлька, ты? — раздался голос моего Алешки. Он был, по-видимому, где-то на кухне. Голос был каким-то сдавленным.

— У тебя все в порядке? — вежливо поинтересовалась я, снимая легкие полуботинки на каблуке.

В нашем доме ничего не изменилось, если не считать странного запаха. Все те же акварели висели в потускневших со временем рамах, их паспарту потемнели, но от этого картины даже выигрывали. Я помнила каждый рисунок, как и когда он был нарисован. Я помнила, как мне приходилось скандалить с прорабом, когда мы клеили обои в нашей квартире, я придиралась к неровным стенам, а прораб убеждал меня, что теперь так модно.

— Проходи на кухню! — крикнул Лешка. — Только руки помой.

— Зачем? — удивилась я.

— Надо, — тоном, не допускающим возражений, приказал он.

Я зашла в ванную, поморщившись немытым зеркалам и грязной раковине. А еще Дашка мне клялась, что они с Лилькой прекрасно справляются. Фу!

— Ну, ты готова? — спросил меня Лешка, всунув неожиданно свою голову в ванную. Он улыбался и был перемазан в какой-то ерунде.

— К чему? — вытаращилась я на него.

И тут... он открыл мне дверь, и я увидела, что перемазан он в каком-то джеме да еще нацепил на себя мой старый фартук в крупную клубничку.

— Что это?

— Это? — усмехнулся Лешка. — Примеряю свою новую униформу!

— Что? — еще шире раскрыла я глаза.

— Ну, я так понимаю, ты хочешь взять меня с собой в Сочи в качестве домохозяйки, так я тут практикуюсь, — как ни в чем не бывало заявил он. — Только пока у меня получается не очень. Но это не значит, что тебе не придется всю эту бурду пробовать!

— Бурду? Ты считаешь, что это... съедобно? — ехидно улыбнулась я, проходя в заваленную грязной посудой и открытыми пачками самых разнообразных продуктов кухню.

— Съедобно или нет, но именно этим тебе придется питаться, когда ты будешь приходить с работы домой. На большее я пока не способен, — с широкой улыбкой Лешка посмотрел мне в глаза и развел руками.

Я же, как была, так и села на кухонную табуретку, не сказав больше ни слова. Меня трясло, слезы сами собой так и полились из глаз. Я смотрела на моего дорогого, родного мужа и думала, что, наверное, вот это и есть самое большое счастье — после всех бурь и штормов сидеть посреди нашей грязной кухни. Сидеть вместе, вдвоем, обнявшись, и смотреть друг другу в глаза.

— Так ты правда поедешь? — еще не веря до конца, переспросила я.

— Если ты это съешь, — невозмутимо ответил Лешка и поставил передо мной блюдо с какой-то невообразимой бурдой.

Это именно у нее был такой странный запах. Я даже не сомневалась, что после этого меня ждет пищевое отравление, но зачерпнула полную ложку сладкой, пригоревшей, но при этом мясной штуки и отправила ее себе в рот. Даже не знаю, как это можно было бы еще назвать. Нет, только штука.

— М-м-м, очень вкусно! — Я старательно изобразила на лице выражение неземного блаженства и с усилием сглотнула.

— Нет, ну это невозможно. Выплюнь немедленно. Я же пошутил. Это есть нельзя, — засмеялся Алексей.

— Ради тебя я хоть живого таракана съем. Так ты едешь?

— Я не могу без тебя жить. Я хожу по пустой квартире и смотрю только на наши фотографии. На тебя. Какая ты была в двадцать лет, как ты сменила прическу, когда родилась Дашка. Как ты забавно потолстела, когда родила Лильку. У тебя тогда была фантастическая грудь. — Лешка от удовольствия чуть прищурился и перевел взгляд на то, что осталось от моей груди.

— У меня тогда молоко просто не иссякало. Я залила весь дом, на мне можно было открывать молочный комбинат. А ты помнишь только, что у меня была фантастическая грудь!

— У тебя и сейчас фантастическая грудь. И попа. И все остальное. И я ни за что не согласен жить без тебя, никакая работа этого не стоит. А скажи, там, в Сочи, все правда так здорово?

— Более чем! — заверила я его.

Я рассказала ему все, хотя было понятно, что словами не передать, что за дом нас там ждет. Не дом, а главный приз. И белые чайки.

— Ты должна пообещать мне одну вещь, — серьезно сказал Лешка.

Я кивнула:

— Все, что угодно.

— Ты должна будешь там очень много рисовать. Я так люблю, когда ты рисуешь. Ты будешь рисовать, а я буду на тебя смотреть, — мечтательно прошептал он и притянул меня к себе.

— Ладно, буду рисовать, — шепнула я, облизнув пересохшие губы.

— Причем ты должна рисовать голая, в одном только фартуке. Или в кружевном белье... М-м-м, может, сейчас нарисуешь пейзажик? — хитро улыбнулся он, а я прижалась к нему и закрыла глаза.

Вот такой он, мой муж. Страстный любовник и непробиваемый истукан. Веселый шутник и невыносимый ворчун. И все это сразу, одновременно. И именно такого я его и люблю. И... как же хорошо, что девочек в этот момент не было дома, ибо то, чем мы занялись прямо на кухонном столе, им видеть не следовало.

— Я люблю тебя, помни это всегда, рыбенок, — прошептал Лешка уже много позже, когда мы лежали в нашей родной, чуть скрипучей семейной кровати, устало прижавшись друг другу. — И ты должна кое-что забрать.

— Что забрать? — удивилась я.

— Вот это. — Он достал откуда-то из тумбочки маленькую бархатную коробочку и торжественно вручил ее мне.

— Это совершенно необязательно, — нахмурилась я. — Мне ничего этого не надо.

— Я думаю, это тебе надо, — кивнул он. — Открой.

— Ой! Это же... мое кольцо! — ахнула я, раскрыв коробочку.

— Я поднял его с пола, когда ты убежала. Тогда, в «Шеш-Беше». Господи, до сих пор не могу простить себе, что так повел себя! Все эти слова...

— Слишком много всего было, — сказала я, нацепив кольцо на палец. — Давай-ка не будем нести это с собой. Предлагаю начать все с чистого листа. Ты как? Согласен?

ВМЕСТО ЭПИЛОГА

Счастье — это когда тебя понимают. Если бы еще это можно было объяснить моим подчиненным. С тех пор как я вступила в свою должность, мне постоянно приходится отстаивать свои позиции и объяснять, что если я сказала, что салфетки должны быть свернуты в лебедей, то именно это и придется делать. И что пыль надо стирать с бюстиков и мебели именно каждый день, а красота за обеденным столом необходима всегда, даже когда каких-то особенно важных гостей никто не ждет. Оказывается, быть руководителем гораздо тяжелее и сложнее, чем я думала. Но ничего, я, кажется, справляюсь. И не без помощи мужа, который успокаивает меня, если я взвинчена, и дает весьма ценные практические советы. К примеру, такой:

— Рыбенок, хороший руководитель — не тот, кто все делает сам, а кто сможет ясно поставить задачу и четко проконтролировать ее исполнение.

Все мои планы о том, как я буду жить в славном городе Сочи (вернее, в его пригороде), претерпели значительные изменения. Мы очень-очень счастливы, девочки накупались до одурения в бассейне, а летом в море. Алексей любит меня, а я люблю его, хоть это и не означает, что мы не ругаемся. Но вот от той моей мечты о белом доме с окнами на море наша реальная жизни несколько отличается. Да.

Во-первых, очень много работы, за всем надо уследить, а еще надо успеть забрать девочек из школы и проверить у них уроки. В общем, я устаю так, что по вечерам просто падаю без задних ног.

Во-вторых, через пару месяцев шум прибоя, особенно такой громкий, как у нас, перестает очаровывать и даже иногда немного раздражает. Но это только иногда. В целом я обожаю любоваться морем, но только те пять минут, пока утром чищу в ванной зубы. Дальше мой муж начинает орать, что он потерял галстук или что он возьмет мою машину, потому что опаздывает на работу, а в его машине нет бензина.

— Что бы тебе ее не заправить?! — ехидно интересуюсь я.

Поскольку мой муж не усидел дома и пары месяцев и теперь работает в городе, на производстве дорогой лапши, у нас снова считается почему-то, что его работа важнее моей. Почему — кто бы знал? Зарабатывает он не больше меня. У него доход вообще неравномерный. Но если ему нужна машина с бензином — я отдаю. Чего не сделаешь для мира в семье?

В-третьих, я вообще никогда не бегаю по берегу моря в оздоровительных целях, потому что мне лень. И я нахожу тысячи отговорок, чтобы этого не делать. Тем более что не такая уж я и толстая. А если что, то я, конечно же, сразу возьмусь за себя. Когда-нибудь, да. А пока... пока я обожаю моменты, когда ко мне на каникулы или в отпуск приезжают мои или Лешкины родители, а еще больше я жду, когда приедет кто-то из девчонок. Все они теперь забили на Турцию и Египет.

— Тут такая халява, да еще и наша Юлька! — категорически заявили они, а мой Алексей мужественно терпит их визиты по десять раз в год.

— Пусть бы они приезжали все сразу. Один раз отмучились бы, и все. Так нет, — ворчал он, — только одна уедет, уже и следующая намечается.

— Такова жизнь, — философски замечала я.

Вот из этого и состоит вся наша жизнь —

из компромиссов и уступок. Из того, что можно простить и забыть, и из того, чего вообще не было... Это я говорю не просто так. Потому что, как оказалось, кое-чего в моей жизни вообще не было. О, это был самый большой для меня сюрприз. Но обо всем по порядку.

Однажды, в то скорбное время, когда я еще собиралась покидать Москву в полном одиночестве, мой Николай Эммануилович с бокалом виски в руке поинтересовался от скуки, почему я так переживаю из-за мужа. Я тогда тоже немного выпила (нет, не так, чтобы очень, но все-таки) и рыдала в кресле, проклиная саму себя за собственную дурь.

— О какой дури идет речь? — поинтересовался шеф, подливая мне виски.

— О голландце этом вашем, — сквозь слезы ответила я. — Мало мне было в беспамятстве с ним переспать, так я еще и мужу рассказала!

— Зачем? — удивился Николай.

— Чтобы не врать! — еще горше зарыдала я.

Николай Эммануилович удивился, потом зачем-то уточнил, что я действительно имела глупость рассказать об этом инциденте мужу, даже не будучи уверенной в том, что он имел место.

— Все именно так, — подтвердила я, и на этом, собственно, дело-то вроде и кончилось.

А однажды, где-то через месяц после нашего

переселения в Сочи, к нам во флигель постучали. Курьер передал мне увесистый сверток.

— Это вам от Николая Эммануиловича, — пояснил он.

Мы с Лешкой развернули сверток, там оказались несколько моих книжек и какой-то компьютерный диск. И записка.

«Инструкция просто великолепная! Я получил огромное удовольствие, читая ее. Теперь хочу, чтобы и вы могли порадоваться. Удачи, Николай».

— Что это такое? — нахмурился Лешка, когда, вставив диск в компьютер, неожиданно увидел, как, практически полуголая, в экране бегаю я и сдираю с себя джинсы.

— Это я, — глупо пояснила я. — У него же в гостиной камеры! Ах, он, значит, меня снял! Ах ты, как же это?!

— И что? — еще больше разозлился мой вредный муж, но я только смотрела на экран (не без отвращения к себе пьяной, надо заметить). Смотрела, и лицо мое светлело, светлело. Вот я стащила джинсы и все остальное, неприлично упав при этом на ковер. Вот я с трудом встала с ковра, вот схватила простыню и путем сложных манипуляций все-таки исхитрилась в нее завернуться и завалиться поперек дивана, кем-то (уж не мной ли самой?) заранее разложенного. Однако никакого голландца! Никаких признаков.

— А где же он? — удивилась я, но он, конечно же, никуда не делся.

Он появился, где-то через час. В сопровождении второго, Дени. Вместе с ним (о, позор!) они перетранспортировали меня в другом направлении дивана, чуть не уронив при этом, так как сами шатались не по-детски. На высвободившееся пространство рядом со мной упал тот, безымянный, с худыми плечами.

— Ну, ты даешь. Бревно в чистом виде! — с укоризной заметил Лешка, который тоже уже понял, что, именно перед ним, и смотрел во все глаза. Оставалось только выяснить, чем все это кончится и как на моем голландце оказалась вторая простыня. Вскоре разъяснилось и это. Спал он беспокойно, ворочался все время, причем неромантично затолкав меня при этом в угол. И где-то к утру, часов в пять, он зачем-то вскочил, что-то пробормотал на своем голландском и очень зло выдернул из-под меня простыню, оставив (не по-джентельменски) меня валяться на незастеленном диване. Далее, соответственно, он обернулся ею, принял позу зародыша и задрых дальше. Еще через час видеосъемка безо всяких прикрас показала, как мучительно было мое пробуждение. И как вообще плоха и неживописна я была в то утро.

— Юль, это что, все? — пристально посмотрел на меня муж.

— Ага, — смущенно кивнула я, отводя глаза.

— И из-за этого вот я пережил самые мучительные минуты в своей жизни? — с возмущением переспросил он.

— Ага! — только и могла сказать я. А что сделать, если я сама совершенно ничего не помнила.

— Ну ты даешь! — выдавил из себя он. — Ну что тут скажешь? Пить надо меньше!

Сабурово, 2009

Литературно-художественное издание

ДЛЯ ОСОБЕННЫХ ЖЕНЩИН

Татьяна Веденская

СЮРПРИЗ ДЛЯ ЛЮБИМОГО

Ответственный редактор *О. Аминова*
Редактор *О. Лифинцева*
Художественный редактор *С. Силин*
Технический редактор *Н. Носова*
Компьютерная верстка *А. Щербакова*
Корректор *Н. Гайдукова*

ООО «Издательство «Эксмо»
127299, Москва, ул. Клары Цеткин, д. 18/5. Тел. 411-68-86, 956-39-21.
Home page: **www.eksmo.ru** E-mail: **info@eksmo.ru**

Подписано в печать 20.05.2009.
Формат 84×108 $^1/_{32}$. Гарнитура «Оффицина».
Печать офсетная. Бумага тип. Усл. печ. л. 18,48.
Тираж 12 100 экз. Заказ № 6838.

Отпечатано в полном соответствии
с качеством предоставленных диапозитивов
в ОАО «Можайский полиграфический комбинат».
143200, г. Можайск, ул. Мира, 93.

Серия "LOVE SAFARI"

Полина
ГРОМОВА

Сезон охоты в Сети

www.eksmo.ru

Её шокирующих откровений ежедневно ждут читатели www.lovesafari.ru, http://mamba.ru/lovesafari/ и http://polinagromova.livejournal.com. Сотни тысяч интернет-пользователей стоят в очереди за её советами. Но вы можете прочитать их в этой книге!

Первый роман Полины Громовой уже стал культовым. Ведь это – реальная история "такой же, как ты сама". А также самый актуальный перечень всех приключений, которые могут случиться с охотницей за счастьем на сайтах знакомств: смех и слезы, свидания-катастрофы и однодневные союзы, реальные опасности, соблазны и возможности, и, конечно, настоящие трофеи!

Издательство "Эксмо" предупреждает: обязательно прочтите эту книгу, прежде чем начать искать свою любовь в Интернете!